Todo lo que los padres deberían saber sobre las drogas

VIVIR MEJOR · Guías de Crecimiento Personal

Todo lo que los padres deberían saber sobre las drogas

Sarah Lawson

EDITORIAL HISPANO EUROPEA S. A.

Revisión Técnica: **Begoña Sarrias Hoyos**
Licenciada en Psicología Clínica
Master en Psicopatología
Consultas: Tel.: 609 214 105
E-mail: B_SARRIAS@terra.es

Título de la edición original:
Everything parents should know about drugs.

Publicado por primera vez en lengua inglesa por:
**Sheldon Press, SPCK, Marylebone Road,
London NW1 4DU.**

© **Sarah Lawson.**

© de la traducción: **Fernando Ruiz Gabás.**

© de la edición en castellano, 2005:
Editorial Hispano Europea, S. A.
Primer de Maig, 21 - Pol. Ind. Gran Via Sud
08908 L'Hospitalet - Barcelona, España.
E-mail: hispanoeuropea@hispanoeuropea.com

Depósito Legal: B. 38006-2005.

ISBN: 84-255-1607-2.

Consulte nuestra web:
www.hispanoeuropea.com

Índice

Agradecimientos

Todos queremos ayudar a revertir la tendencia al alza del abuso de las drogas entre los jóvenes y, allá dónde acudí en busca de ayuda e información, recibí un apoyo en el que no se escatimaron esfuerzos. Me gustaría mostrar mi agradecimiento, en especial, a Anne Marshall (directora) y a Vida Guinn (secretaria) del ADFAM National (asociación que ayuda a familias en las que hay problemas con las drogas y el alcohol) por sus ánimos y su apoyo; al personal de Release (departamento de proyectos de justicia criminal de ADFAM) por su esfuerzo para ayudarme a solventar algunas preguntas legales complejas, al departamento bibliotecario del ISDD (Instituto para el estudio de las drogodependencias) por buscar exactamente la información que necesitaba, a Peter y Anne Stoker de Positive Prevention Plus por compartir los frutos de su experiencia y, especialmente, a Kate Merril por su oportuno apoyo y consejos.

También deseo expresar un especial agradecimiento a los padres, los hijos y otras personas que compartieron sus experiencias conmigo mientras estaba investigando para escribir este libro. Aunque no todos sus relatos aparecen en esta obra, ninguno de los esfuerzos que les costó el hablar sobre temas que, frecuentemente, eran muy dolorosos, fue baldío. Cada uno de ellos aportó cosas a mi comprensión de los problemas del abuso de las drogas e hizo una inconmensurable contribución a la obra acabada.

I

Introducción

La palabra «drogas» es, por sí misma, suficiente para infundir miedo en los padres. Quizá pensemos en un drogadicto sin esperanza, con los brazos llenos de cicatrices por los pinchazos y los abscesos, delgado, sucio, desaseado, durmiendo en casas abandonadas, pensando sólo en su siguiente dosis y condenado a una muerte prematura y en la más completa soledad. Por supuesto, existe gente así, pero afortunadamente sólo una pequeña proporción del consumo de drogas ilegales da lugar a tragedias de este tipo. Por otra parte, algunos de los casos más trágicos y dañinos del abuso de las drogas, implican sustancias que son legales y bastante fáciles de obtener: sustancias de las que, quizá, nosotros, como padres, deberíamos ser más conscientes y *mostrar más preocupación* sobre ellas de la que mostramos en la actualidad.

Como veremos en este capítulo, las drogas son un problema real y creciente, y en los últimos años ha ido afectando a gente cada vez más joven, lo que ha añadido otra preocupación a la larga lista de inquietudes a las que los padres deben hacer frente. Guste o no, las drogas van a estar ahí y no van a desaparecer, y necesitamos averiguar todo lo que podamos acerca de esta amenaza relativamente nueva para nuestros hijos si queremos enfrentarnos a ella de forma efectiva. Es de vital importancia que seamos capaces de hablar con nuestros hijos sobre las drogas y que ellos puedan expresarnos cualquier problema o ansiedad que puedan tener sobre este tema. Para conseguir esta apertura debemos, en primer lugar, adquirir un pleno conocimiento sobre lo que realmente implica este problema. Este libro espera proporcionar a los padres estos conocimientos y disipar las ideas falsas y vagas y las medias verdades que tanto colaboran en hacer que los padres se sientan inútiles y paralizados por el miedo cuando se menciona el tema de las drogas.

¿Qué son las drogas?

Antes de empezar a observar el grado de consumo de drogas entre los niños y los jóvenes, debemos ser claros sobre lo que entendemos por drogas, y dónde trazaremos una línea personal sobre lo que consideramos que representa el uso responsable y el irresponsable de ellas. También debemos ser claros sobre nuestra ambivalencia respecto a las drogas: por ejemplo, los padres que condenan totalmente todas las drogas de la forma más severa posible, pero que fuman 30 cigarrillos al día, se toman un trago antes de tratar un tema con el jefe por teléfono, que dependen del uso de tranquilizantes para ir tirando durante el día o que toman píldoras para dormir y así pasar la noche, pueden encontrarse con que carecen de credibilidad ante sus hijos. Los niños tienden a tener un sentido de la honestidad y del juego limpio muy desarrollado, así que cualquier indicio de hipocresía desarmará sus argumentos, por muy buena base que tengan.

Así, ¿qué es una droga? Mi diccionario ofrece dos definiciones distintas. Primera: cualquier sustancia natural o sintética utilizada en el tratamiento, la prevención o el diagnóstico de una enfermedad (correspondería a la definición de fármaco). Segunda: una sustancia química, especialmente un narcótico, que se toma por el efecto placentero que produce. Muchos fármacos son prescritos por los médicos o son comprados sin receta obligatoria cada día y son usados con un buen fin, para combatir las enfermedades, el dolor, etc. A éstas las consideramos drogas «buenas» o, quizá, ni siquiera pensemos en ellas como si fueran drogas. También existen otras sustancias que entran en la definición de drogas pero que nos resultan tan familiares y forman parte tan normal de nuestra vida diaria, que no pensamos en ellas como tales. El alcohol, la nicotina del tabaco, incluso la cafeína (presente en el café, el té y muchos refrescos), pertenecen a esta categoría, y los he incluido en la lista de drogas que aparece en el capítulo 10. No obstante, cuando hablamos del «problema de las drogas» éstas no son las sustancias que la mayoría de nosotros tenemos en mente. Para la mayoría de los padres, es el uso de las drogas ilegales la que provoca una mayor ansiedad, en combinación con el problema, relativamente reciente, del abuso de disolventes (esnifar pegamento), que no es ilegal, pero que ha sido ampliamente reconocido como un problema creciente y limitado, casi exclusivamente, a los jóvenes. Existen buenas razones por las que el uso de drogas ilegales debería preocuparnos. Tanto el creciente consumo de tabaco y de alcohol entre los niños en edad escolar e incluso la mala utilización de las drogas o fármacos que se expenden sin receta, como los calmantes, los descongestionantes y los jarabes para la tos, deben ser tenidos en cuenta si queremos proteger a nuestros hijos de los peligros que representa el abuso de las drogas, tanto ahora como cuando sean adultos.

Nadie quiere que su hijo se vea implicado en actividades que les hagan tener problemas con la ley, pero cuando hablamos con nuestros hijos sobre las drogas debemos tener muy en cuenta los temas que las rodean. Deben ser advertidos de los peligros de experimentar con sustancias que pueden dar lugar a una dependencia o que pueden representar un peligro físico inmediato por culpa de su uso o abuso, y si restringimos nuestra atención a las drogas ilegales, estaremos pasando por alto algunas de las sustancias más dañinas y fáciles de conseguir con las que se encontrarán con mayor probabilidad.

¿Cuán grande es el problema?

Una de las fuentes de información más completa sobre el consumo de drogas en España son las estadísticas de los Centros de Atención Primaria y Urgencias de los hospitales, así como el Observatorio Español sobre Drogas (OED), creado en enero de 1997 a propuesta del Delegado del Gobierno para el Plan Nacional sobre Drogas (Ministerio del Interior) para poder disponer y desarrollar los instrumentos de información y análisis sobre las drogas y las drogodependencias y ponerla a disposición de las instituciones y los profesionales que gestionen y/o trabajen en el campo de las drogodependencias y al conjunto de la sociedad.

El cannabis es la droga ilegal más consumida. La mayoría de la gente que ha consumido una droga ilegal ha consumido cannabis (posiblemente alrededor del 5 % de la población), y la mayoría lo han usado de forma ocasional. Sólo alrededor del 0,33 % de la población se ha inyectado una droga ilegal. Es interesante ver que hay una clara diferencia entre sexos en lo que respecta al consumo de drogas ilegales. Aproximadamente, el doble de hombres que de mujeres admiten haber tomado drogas ilegales alguna vez.

El consumo de drogas ilegales tiene un pico entre los 16 y los 35 años, especialmente en lo referente al consumo del cannabis.

Niños en edad escolar

La mayoría de las encuestas muestran que el uso de drogas ilegales es mucho menos común entre los niños menores de 16 que entre los adultos jóvenes de 16 y más años. El cannabis y los disolventes son las drogas más consumidas, seguidas por las anfetaminas, las setas alucinógenas (mágicas), el LSD, el éxtasis, quedando la heroína y la cocaína al final de la lista. Otras encuestas hechas a menor escala han llegado a conclusiones similares.

La mayoría de las encuestas se han concentrado en la cantidad de jóvenes que han consumido drogas ilegales o disolventes por lo menos una vez, y no en los que las usan frecuente o regularmente. Aunque a los 15-16 años entre una quinta y una cuarta parte de los jóvenes habrá probado las drogas ilegales o los disolventes, sólo alrededor del 2 % consumirá cannabis de forma regular, y menos del 1 % usará otras drogas regularmente.

¿Qué tipo de niños se ven implicados en los abusos de drogas?

Como podemos ver, a partir de las estadísticas citadas anteriormente, los niños de algunas zonas que van a ciertas escuelas tienen más posibilidades de que les sean ofrecidas drogas ilegales que en otros colegios y, estadísticamente, los niños estarán más dispuestos que las niñas a experimentar con el uso de las drogas en una proporción aproximada de 2 a 1. No obstante, las variaciones regionales pueden no suponer, simplemente, un caso de un aumento de disponibilidad que diera lugar a un aumento del consumo. Los factores sociales que tienen desviaciones regionales, como el desempleo, malas viviendas, la falta de instalaciones recreativas, la calidad de vida y las expectativas de la población joven, pueden tener una gran influencia en el consumo de drogas. En pocas palabras: el aburrimiento y la falta de perspectivas pueden hacer que los beneficios inmediatos que aporta el consumo de las drogas resulten atractivos para los jóvenes, mientras que las desventajas a largo plazo pueden no parecer muy importantes en un entorno que tampoco tiene mucho que ofrecer.

No obstante, el consumo de drogas se da entre los niños de todos los grupos sociales y orígenes, y ninguno de nosotros, como padres, puede decir, con total confianza que nuestro hijo «no sea del tipo de los que consumen drogas».

Los chicos pueden probar las drogas por las siguientes razones:

• Porque están ahí: surgió la oportunidad y el niño sentía curiosidad.
• Porque sus amigos lo hacían y ellos no querían verse dejados de lado.
• Porque no hay nada más que hacer.
• Porque alguien les dijo que serían unos burros si no las probaban.

• Porque se sentían tristes o confundidos y buscaban algo que les hiciera sentirse mejor.
• Porque querían hacer algo arriesgado, atrevido y rebelde.
• Para evadirse.

Sin embargo, existe una distinción más clara cuando nos referimos al uso continuado de las drogas en lugar del uso puntual o la experimentación ocasional. Parece haber algunos factores claramente identificables que predisponen a un chico concreto al uso continuado de las drogas, aunque éstos suelen ser reconocidos sólo después del evento. Éstos suponen:
• Baja autoestima.
• Problemas familiares.
• Problemas en la escuela.
• Falta de dirección y de objetivos.
• Sentimiento de impotencia.

Observaremos estos factores en mayor detalle en el capítulo 2.

¿Dónde pueden obtener drogas los chicos?

Los relatos que aparecen en los medios han sugerido que los traficantes de droga hacen esfuerzos coordinados para atraer a los jóvenes cada vez más temprano a su consumo, y algunos han dado la impresión de que hay un vendedor de estupefacientes a la salida de cada escuela, ofreciendo muestras gratuitas con la esperanza de que hagan que queden enganchados tantos niños como sea posible. Esta situación es, en gran medida, ficticia. Para la mayoría de los niños de menor edad, la escuela es la mayor fuente de contacto social con sus compañeros, así que es inevitable que buena parte de sus conocimientos y experiencia con las drogas procedan de las personas de la escuela, frecuentemente de amigos de mayor edad. Para la mayoría, su primera, y a veces única, experiencia con las drogas ilegales será probablemente resultado de que se las ofrezcan en una fiesta o en una reunión improvisada en un parque o en el piso de alguien. Para los quinceañeros y adolescentes, las discotecas y las fiestas de pago son una fuente frecuente de drogas, especialmente el éxtasis, el LSD y las anfetaminas, que inextricablemente están unidas a la cultura del baile que se ha desarrollado en los últimos años. Como hemos visto, el consumo de drogas «duras», como la heroína y la cocaína, es muy raro entre los jóvenes, pero aquellos que las consuman habrán sido introducidos en su uso mediante un amigo, que puede continuar suministrándoselas como forma de financiar su propio consumo, o presentarles a un traficante.

Como los disolventes son fáciles de comprar y no son ilegales, los que los usan no tienen que verse envueltos en el mundo de la ilegalidad para consumirlos, y existen pruebas que señalan que los consumidores de disolventes tienen más posibilidades de pasar al consumo de alcohol que al de drogas ilegales.

Otra fuente de experiencias con las drogas que no debería pasarse por alto es la presencia de medicinas recetadas pero de las que todavía queda alguna toma y que podemos hallar en los botiquines domésticos. Éstas pueden llevar a la experimentación por parte de un niño curioso, así que deberían ser devueltas al farmacéutico para que se deshaga de ellas de forma segura.

Precios al alcance de todos los bolsillos

En lo que respecta a los jóvenes en edad escolar, el precio limitará frecuentemente el tipo y la cantidad de drogas que pueden probar. Las drogas más frecuentemente usadas por el grupo de los chicos de menor edad se encuentra dentro de los límites de su asignación o del dinero ganado por realizar pequeñas tareas. La resina de cannabis (hachís) cuesta alrededor de 20 € por cada 3,5 gramos (suficientes para hacer hasta 10 «porros»), el éxtasis unos 30 € por pastilla, el sulfato de anfetamina unos 15 € por «envoltorio o papelina», y el LSD la pequeña cifra de 3-7 € por cuadrito de papel impregnado. El precio de las drogas «duras» es mucho mayor. La cocaína puede costar 110-140 € por gramo (un consumidor habitual podría consumir esta cantidad en un día, aunque un consumidor experimental podría hacerla durar mucho más), la heroína cuesta unos 140 € por gramo (con variaciones regionales), suficiente para su uso experimental por varias personas o a lo largo de muchos días.

¿Qué pasa con los niños que abusan de las drogas?

La mayoría de los niños en edad escolar que consume drogas ilegales y disolventes lo hará de forma experimental u ocasional, y sus experiencias implicarán drogas como el cannabis, el éxtasis, las anfetaminas y el LSD. Ninguna de estas sustancias carece de peligros y, algunos consumidores sufrirán daños físicos o psicológicos (muy raras veces, estos daños podrían resultar fatales) la primera vez que las consuman o mediante su uso limitado, y unos pocos consumirán cada vez más y usarán drogas cada vez más duras, y una pequeña proporción de ellos se volverá adicto. La mayoría, no obstante, dejará las drogas totalmente, o pasará a consumir las drogas legales, que son socialmente aceptables (aunque siguen siendo potencialmente peligrosas), como el alcohol y el tabaco.

Unos pocos consumidores de droga en edad escolar o quinceañeros tendrán problemas con la justicia como resultado de dicho consumo, ya sea porque han sido detenidos y poseían o estaban suministrando drogas, o porque su consumo ha hecho que tuvieran otros comportamientos antisociales: alteraciones en un lugar público, peleas, vandalismo, robar o conducir bajo los efectos de las drogas, por ejemplo. Aquellos que consumen drogas consideradas como menos peligrosas, como el cannabis, es improbable que sean procesados por la simple posesión la primera vez, aunque el suministro a otras personas es bastante más probable que dé lugar a cargos e incluso a una ficha de antecedentes delictivos. Cuanto más joven sea el niño menos probable será que sea procesado. En lo que respecta a los niños pequeños, las autoridades pueden decidir custodiarlos o aplicarles una orden de supervisión si creen que su comportamiento está fuera de control (véase el capítulo 9 para obtener más detalles sobre las drogas y la ley).

Aunque las drogas que más probablemente usarán los consumidores que lo hacen por primera vez o los ocasionales de menor edad son relativamente baratas, el hábito de las drogas (incluso aunque implique las sustancias menos caras) pronto se hace difícil de mantener. Cuando se desarrolla un cierto grado de dependencia psicológica o física, la necesidad de obtener un suministro regular de droga puede volverse tan importante que supera las inhibiciones morales y sociales, y el consumidor puede pasar a cometer delitos para financiar su hábito. La proporción de delitos relacionados con la droga está aumentando rápidamente, y esta conexión con los delitos es uno de los peligros menos obvios del consumo de drogas que podría ser pasado por alto por los padres, que están ya sobrecogidos por los muy publicitados peligros físicos que conllevan algunas drogas.

Sólo una pequeña proporción de los consumidores habituales de drogas acabará falleciendo como resultado de su hábito. En 1990 hubo en el Reino Unido 300 muertes relacionadas directamente con el abuso de las drogas, incluyendo los disolventes (pero que no incluyen el alcohol ni el tabaco, que tienen unas estadísticas bastante peores en este aspecto), y que incluyen a todos los tipos de consumidores: dependientes, regulares y ocasionales. Sin embargo, lo que es menos fácilmente cuantificable y está más difundido, son los desastrosos efectos que pueden tener las drogas en todos los aspectos de la vida del consumidor y de su familia. No disponemos de estadísticas para mostrar cuántas relaciones se han roto, cuántos trabajos se han perdido, cuántos exámenes se han suspendido, cuántas oportunidades se han perdido, cuánta infelicidad se ha provocado y cuántos delitos se han cometido como resultado directo o indirecto del consumo de drogas. El uso de éstas a una edad temprana puede ralentizar o detener la difícil tarea del progreso hacia la madurez emocional, dejando al consumidor sin los recursos internos para enfrentarse a la vida sin la ayuda de las drogas. Incluso aunque sintamos como padres que el riesgo de que nuestros hijos padezcan daños físicos o psíquicos como consecuencia del abuso de las drogas es bajo, este gran riesgo (los daños sobre la calidad de vida de nuestros hijos y de todos los que nos preocupamos por ellos) debería preocuparnos a todos.

2
Sustancias y efectos

Frecuentemente, las sustancias de las que se abusa pueden ser listadas bajo categorías amplias de acuerdo con sus efectos en el consumidor. No obstante, existen problemas con cualquier tipo de clasificación: los efectos de algunas drogas entran en dos o más categorías, y algunas tienen efectos distintos según de la dosis tomada, e incluso la situación en la que sean utilizadas. La clasificación usada aquí, por tanto, tiene la intención de servir como una guía básica del efecto probable de la droga y no deberían considerarse como absolutas.

Sedantes (tranquilizantes)

En este grupo se incluyen los fármacos tranquilizantes, como las benzodiacepinas y los barbitúricos, que son recetados por los médicos para aliviar la ansiedad y ayudar a dormir, al igual que el alcohol y los disolventes. Todas estas drogas funcionan deprimiendo el sistema nervioso central, calmando al consumidor y, en última instancia, provocando una pérdida de la consciencia.

Estimulantes

Entre éstos se incluyen las anfetaminas, la cocaína y el tabaco. A bajas dosis, los estimulantes alivian la fatiga y ayudan a concentrarse. Las dosis mayores pueden provocar una sensación de euforia y poder, un aumento de energía y de la capacidad para concentrarse, confianza y la capacidad de seguir adelante sin dormir ni comer durante largos periodos. Los efectos físicos pueden incluir un incremento de la presión sanguínea, de la frecuencia respiratoria y cardiaca, midriasis (dilatación de las pupilas), sequedad de la boca, diarrea y un aumento de la micción.

Opiáceos

Los opiáceos tienen un efecto sedante y calmante en el consumidor. Al contrario que los tranquilizantes anteriormente mencionados, producen además un efecto de euforia. Los consumidores de opiáceos suelen decir que la droga les hace sentir como si estuvieran «envueltos en algodoncillos», y esto hace que resulten especialmente atractivos para aquellos que están luchando contra problemas emocionales que creen no ser capaces de superar.

Alucinógenos

Los alucinógenos, como el LSD, provocan una intensificación y distorsión de las experiencias sensoriales, como el color, el sonido y el tacto. Dependiendo de la dosis tomada, el consumidor puede «ver» ruidos y «oír» colores, su entorno puede parecer mudar y cambiar y su sentido del tiempo puede estar distorsionado. El cannabis es, técnicamente, un alucinógeno suave, y el éxtasis (MDMA, o 3,4-metilendioximetanfetamina) es una combinación de alucinógeno y estimulante.

Esteroides anabolizantes

Los esteroides anabolizantes son una versión sintética de las hormonas que el cuerpo produce de forma natural. Son utilizados por los culturistas y los atletas para desarrollar la musculatura, pero pueden provocar un comportamiento agresivo y daños graves e irreversibles sobre el cuerpo al ser consumidos durante largos periodos y en dosis no medicinales.

Fármacos que se expenden sin receta

Ciertos preparados que pueden comprarse sin receta contienen pequeñas cantidades de fármacos controlados. Otros no están controlados, pero se puede abusar de ellos debido a sus efectos secundarios. Los antihistamínicos, por ejemplo, pueden provocar somnolencia, y a veces se usan conjuntamente con otras drogas para aumentar o contrarrestar sus efectos. Las chicas que sufren desórdenes alimentarios pueden estar abusando de los laxantes. La utilización de estas drogas o fármacos en dosis mucho mayores de las normales puede tener efectos imprevisibles y peligrosos, así que el hecho de que estén a libre disposición no garantiza que no puedan provocar daños.

Otros

Algunas sustancias, como el nitrito de amilo y de butilo, que provocan que los vasos sanguíneos se dilaten, no pertenecen a ninguna de las categorías anteriores. En su búsqueda de «colocarse» con cosas nuevas, algunos consumidores de drogas experimentarán con casi cualquier sustancia (incluso con algunas que no fueron ideadas para el uso humano), y traficantes sin escrúpulos desarrollan constantemente nuevas drogas y combinaciones de ellas, y suelen encontrar frecuentemente durante el proceso vacíos legales en las leyes referentes a las drogas.

Es imposible ofrecer aquí una lista de todas las sustancias de las que se ha abusado o se podría abusar, pero aquellas consumidas más comúnmente y que son más fáciles de obtener están descritas en el capítulo 10, junto con los peligros específicos de cada una de ellas. Algunos peligros, no obstante, están relacionados con el método o las circunstancias de su elaboración, suministro y administración, y no tanto con la droga en sí. A este respecto, la inyección es especialmente peligrosa. Los riesgos generales del consumo de drogas incluyen:

• *Sobredosis*

El consumidor puede tomar demasiada cantidad de una vez, lo que puede dar lugar a unos resultados inesperados o dañinos.

• *Abuso*

El consumidor puede excederse en el uso de la droga hasta el punto en que su capacidad para llevar una vida normal se ve afectada y puede no llegar a desarrollar o a perder la capacidad para hacer frente a la vida de otras maneras. Algunos consumidores acabarán siendo adictos a ciertas drogas.

• *Accidente*

La mayoría de las drogas afectan a la coordinación y al tiempo de reacción, así que será más fácil tener accidentes mientras se conduce o se utiliza maquinaria, sufrir caídas, etc.

• *Adulteración*

Las drogas ilícitas no están sujetas a los mismos controles que los productos legales, así que pueden tener poca pureza o una concentración desconocida. La sustancia adulterante puede ser inocua (se sabe que se ha utilizado estricnina o veneno para ratas con este fin). Por otro lado, puede darse una sobredosis fatal si la droga está mezclada con menos adulterante de lo normal: la dosis que el consumidor tome contendrá más droga de la que espera.

• *Mezclar drogas*

Tomar más de una droga a la vez, o incluso con bastantes horas de separación entre ellas, puede modificar e incrementar sus efectos y la posibilidad de que provoquen daños.

• *Deterioro en el ritmo de vida*

Los consumidores habituales de drogas pueden descuidar su salud o gastar tanto dinero en drogas que no puedan permitirse alimentarse dignamente ni tener un alojamiento adecuado.

• *Implicación en actividades delictivas*

La posesión y el tráfico de muchos tipos de drogas supone un delito. Aquellos que consumen grandes cantidades pueden financiar su hábito cometiendo delitos o dedicándose a la prostitución.

• *Los peligros debidos a la inyección*

Cualquiera que sea la droga consumida, la inyección comporta sus propios riesgos. Se incrementa el peligro de sufrir una sobredosis, se pueden producir infecciones debido al uso de utensilios no estériles, apareciendo entonces un verdadero riesgo de padecer enfermedades graves, como la hepatitis o el SIDA cuando se comparten agujas y jeringas. La mala técnica de inyección y la inyección de sustancias no adecuadas para este propósito, como las tabletas pulverizadas, puede provocar abscesos, gangrena y otros problemas graves de salud.

Dependencia y adicción

No todos los niños que tienen la oportunidad de verse implicados en el consumo de drogas lo harán. De aquellos que experimenten, sólo una pequeña proporción pasará a consumir drogas regularmente, y de éstos, unos pocos desarrollarán un cierto grado de dependencia psicológica o una adicción psicológica y física en toda regla. ¿Por qué? ¿Qué hace que un niño sea más susceptible que otro a los efectos de las drogas y qué podemos hacer para influir en estos factores en el caso de nuestros hijos?

Aunque no existe un consumidor de drogas «tipo» fácilmente distinguible, los profesionales que trabajan con consumidores de drogas han identificado ciertos factores que surgen una y otra vez en las personas con las que trabajan y que ellos creen que hacen que los jóvenes tengan más posibilidades de depender del consumo de drogas. Es importante tener en cuenta que la sustancia no es el problema en sí ya que el problema o la dificultad de fondo es la dependencia.

Es precisamente esta dependencia lo que debe poder tratarse por los profesionales como una enfermedad y no como un comportamiento inadecuado.

• *Baja autoestima y falta de autoconfianza*

Para aquellos que no se sienten bien y son inseguros consigo mismos, las drogas pueden ofrecer sensación de una nueva confianza y una huida de sus ansiedades respecto a sí mismos. Estos sentimientos pueden abrir nuevas posibilidades para hacer amigos y tomar parte en actividades, y son un poderoso estímulo para seguir consumiéndolas.

• *Sentimientos de impotencia*

Los jóvenes que se ven atrapados en una existencia en la que no ven una salida y que se ven incapaces de influir en ella o cambiarla, o que están a merced de sentimientos que no pueden controlar o con los que no pueden vivir, pueden verse atraídos por la medida de control sobre sus sentimientos que, aunque temporal, pueden ofrecerles las drogas. Saben que, por lo menos, mientras dure el efecto de la droga se sentirán de una cierta manera eufóricos, relajados, con confianza, etc.

• *Infelicidad en casa, quizá debida a abusos, falta de atención o rupturas familiares*

Las drogas pueden ofrecer una breve huida de la infelicidad, quizá la única huida para un niño que se sienta incapaz de acudir a la familia o a los amigos para que le apoyen, o de hablar con alguien sobre sus preocupaciones.

• *El síndrome del «niño salvaje»*

Hay niños que, sencillamente, parecen necesitar más emociones y estímulos que otros, que necesitan asumir riesgos y encontrar experiencias todavía más desafiantes. En los casos en que sus necesidades no hayan sido canalizadas hacia asuntos más seguros, estos niños pueden verse atraídos de forma irresistible por las nuevas e impredecibles experiencias que ofrecen algunas drogas, al tiempo que no son conscientes o incluso se ven animados por sus peligros.

• *Susceptibilidad física a los efectos de las drogas*

Algunas personas parecen tener una mayor susceptibilidad a los efectos de las drogas que otros. Pueden verse afectados más profundamente, volverse dependientes más rápidamente y tener más dificultades para dejar de consumir drogas que otras personas con menor susceptibilidad, incluso en ausencia de cualquier problema emocional concreto.

¿Qué es la dependencia?

Decimos que alguien se ha vuelto dependiente de una droga cuando generalmente, tras el uso repetido aunque, ocasional, tras sólo una experiencia limitada, sienten una necesidad imperiosa de consumir esa sustancia de forma regular. Hablando en general, la dependencia se divide en dos categorías aunque con frecuencia ambos aspectos están presentes y suele ser muy difícil para el consumidor distinguir entre ambos.

• *Dependencia psicológica*

Alguien que consume una droga regularmente puede acabar confiando en sus efectos (estimulación, sedación o una variedad de sensaciones distintas) para que le ayuden a huir de sus problemas, relajarse, establecer relaciones sociales, estudiar o, sencillamente, hacer que la vida sea soportable. Puede que pierda su capacidad para conseguir estas cosas por otros medios, y la posibilidad de quedarse sin esa sustancia hace que se ponga nervioso y deprimido, a veces de forma muy grave y llegando al punto de tener verdaderos desórdenes mentales.

• *Dependencia física*

Tomar drogas de forma regular a lo largo de un periodo de tiempo prolongado puede modificar el funcionamiento del cuerpo, con lo que, si la droga es retirada súbitamente, no puede funcionar de forma normal. Esto puede dar como resultado variedad de síntomas físicos desagradables, como náuseas y vómitos, sudores, calambres, temblores, insomnio y convulsiones que, tras la abstinencia después de un consumo abusivo de ciertas drogas, puede resultar fatal.

La situación se ve todavía más complicada por el desarrollo de la tolerancia a ciertas drogas después de su repetido consumo. Aunque esto no sucede con todas las drogas, el cuerpo puede desarrollar una resistencia a algunas de ellas, con lo que su efecto se reduce, y el consumidor necesitará tomar dosis cada vez más altas para obtener el mismo resultado. Los consumidores regulares pueden, sin efectos adversos, tomar dosis que provocarían efectos nocivos o incluso la muerte a una persona que consuma esa droga por primera vez. A veces surgen problemas cuando un consumidor habitual, tras pasar un periodo sin tomar la droga, toma la dosis a la que estaba acostumbrado antes de dejarlo. Como la tolerancia que tiene su cuerpo a esa sustancia ha disminuido, puede, como resultado, sufrir resultados nocivos.

¿Qué es la adicción?

La palabra «adicción» suele usarse para definir la dependencia ya asentada de una persona respecto de una droga, e implica que existen consecuencias negativas en el plano social, psicológico y/o físico como consecuencia de ello. La mayoría de las adicciones a la droga implican una dependencia tanto física como psicológica en proporciones variables, y ambas deben ser superadas si el individuo con una dependencia quiere librarse, con éxito, de su adicción.

Vivimos en una sociedad en la que circulan sustancias potentes y peligrosas a nuestro alrededor, y no podemos volver hacia atrás las manecillas del reloj. Debemos aceptar que, por muy estrictas que sean nuestras leyes antidroga y por muy severamente que sean aplicadas, siempre existirá un potencial para que los jóvenes se vean implicados en el abuso de estas sustancias. Como no podemos eliminar el problema, debemos proporcionar a nuestros hijos los medios para que se protejan. En los siguientes capítulos veremos formas de hacerlo.

3

Hablar con su hijo sobre las drogas

Hay muchas formas en las que usted, como progenitor, puede ayudar a su hijo a evitar ser arrastrado hacia el consumo habitual de drogas. Él será más capaz de hacer frente a esta y a cualquier otra situación en la que se encuentre bajo la presión de tener que asumir riesgos, para así conservar o ganarse la aprobación de sus compañeros si se siente bien consigo mismo, si sabe que es una persona que vale la pena y que merece que le cuiden, y que lo que siente y aquello en lo que cree es importante y es algo a lo que vale la pena ser fiel. Estos sentimientos no surgen de un día para otro ni en relación con una única materia, sino que deben ser potenciados desde una temprana edad (veremos formas en las que usted puede ayudar a su hijo a desarrollarlas en el capítulo 4). También necesita desarrollar los recursos internos y la autoconfianza necesaria para hacer frente a los problemas y decepciones que inevitablemente surgirán en su vida, especialmente durante los tormentosos años de la adolescencia. Si él se siente sin fuerzas para cambiar su vida o para influenciar en lo que le pueda pasar para ir a mejor, las drogas le pueden parecer la única huida disponible de una situación intolerable. Una vez más, la autoconfianza y el autoconocimiento que nos permiten superar las crisis no se adquieren de forma rápida, sino que se construyen a lo largo de los años, a medida que nos enfrentamos y superamos, en primer lugar, los primeros traumas de la infancia y, más adelante, los retos de mayor envergadura que suponen la independencia, estudiar, hacer y mantener las amistades y, en última instancia, irse de casa.

La cimentación de esta fortaleza es un trabajo a largo plazo, aunque nunca es demasiado tarde para empezar, y que si se detiene usted a pensar un poco y dedica un pequeño esfuerzo puede hacer que el entorno familiar sea un recurso positivo para su hijo, respecto a éste y a muchos otros aspectos. No obstante, existe una cosa que todo progenitor puede y sabe hacer (sin importar la edad de su hijo y si éste ya se ha visto expuesto a las drogas y a su consumo), y se trata de asegurarse de que disponga de una información completa y precisa sobre las drogas con las que se puede encontrar, los efectos sobre su cuerpo y mente y los peligros que conlleva su consumo. Puede que no sienta usted la suficiente confianza al principio, al tratar este tema con su hijo, y es cierto que existen fuentes de información sobre las drogas, externas a la familia, para los niños y los jóvenes, pero ¿puede estar seguro de que éstas le proporcionen toda la información que necesita? y, ¿será el mensaje que reciba sobre el abuso de drogas coincidente con los valores de tu familia y con los principios mediante los cuales ha educado a tu hijo para que valore sus modelos y su comportamiento? Es improbable que así sea. El enfoque tomado dependerá, casi con total certeza, de una cierta variedad de factores, y no todos ellos representarán los mejores intereses para cada niño.

¿Dónde aprenderá su hijo cosas sobre las drogas?

Las siguientes son las fuentes de información más comunes y fácilmente accesibles sobre las drogas, y su hijo las encontrará, todas o casi todas, y con casi absoluta certeza, en un momento u otro.

El colegio

Dentro del currículo pueden estar contemplados estos temas sobre las drogas. Para ayudar a la concienciación los padres desde las AMPAs pueden apoyar a que esto sea así. De la forma más sencilla, el profesor puede explicar en la clase a los niños de cinco años que los medicamentos pueden parecer caramelos, pero que pueden ser peligrosos. Puede puntualizar que el frasco de píldoras que el médico o el farmacéutico le dio a mamá será bueno para ella mientras tome la cantidad indicada en el recipiente o el paquete, pero que nadie más debería tomarlas.

Cuando se trata de drogas ilegales, como el cannabis o la heroína, o las drogas legales pero potencialmente peligrosas como el alcohol, el enfoque que adoptan las diferentes escuelas varía mucho. Los requisitos del plan nacional de estudios no son específicos, y la asignación de los horarios depende de la escuela. El asunto del consumo de drogas puede ser tratado, por ejemplo, en las clases de ciencias, las horas de tutoría, las clases de habilidades para la vida, de educación personal y social, o de humanidades, y el enfoque variará según el tiempo del que se disponga, los puntos de vista y las prioridades del director, de los educadores, de los miembros del consejo escolar y del profesor concreto que imparta la clase, además de la presión de los padres (algunos de los cuales puede que no quieran que se proporcione a su hijo información sobre las drogas, ya que creen que esto hará que su consumo sea más probable o fácil).

Si tiene usted la intención de depositar su confianza en la escuela para que ésta proporcione a su hijo la información que necesita cuando tome decisiones sobre las drogas, sería buena idea averiguar cómo y cuándo impartirá el colegio este tema. Pregunte, en concreto, si la escuela dará un mensaje contra las drogas o si se ceñirán a una enumeración de ellas con las que se pueden encontrar los niños, sus efectos y los métodos de consumo.

Incluso aunque crea usted que la escuela puede proporcionar a su hijo toda la información sobre los hechos que necesitará, sigue siendo importante que él pueda hablar con ustedes, sus progenitores, sobre cualquier preocupación que pueda tener sobre las drogas y su consumo con naturalidad. Es importante que esté bien informado y que el tema esté abierto a ser tratado en familia. En condiciones ideales, esta apertura debe estar asentada antes de que surja cualquier preocupación o problema. Cada vez más, las autoridades locales y los asesores sobre temas de salud organizan sesiones para los padres en las escuelas, en las que hay una completa información de las drogas a las que los niños pueden tener acceso, el grado de consumo en la zona, y las formas en las que se puede ayudar y proteger a los niños, y todo esto se pone a disposición de la gente de modo informal. Estas reuniones pueden ser un valiosa fuente de información y de alivio, y vale mucho la pena asistir si se organizan en la ciudad o población donde se viva.

Los amigos

Gran parte de lo que los niños oyen sobre las drogas, lo oirán, muy probablemente, de sus compañeros. La mayor parte tendrá relación con la disponibilidad y los precios de las drogas en la zona, o consistirá en los relatos (posiblemente de segunda o tercera mano) sobre lo que se siente al consumir una cierta droga. Los niños pueden obtener información útil de esta manera, pero no les aportará una perspectiva precisa ni completa sobre los efectos en el cuerpo o las propiedades adictivas y los riesgos de cada sustancia, y es probable que el relato sea tergiversado por los deseos del narrador, para así parecer listo y con mucha mundología.

Los medios de comunicación

Para muchos niños y padres, los relatos que aparecen en los medios de comunicación son la principal fuente de información sobre las drogas. Desgraciadamente, la información que dan suele ser imprecisa y puede inducir a error. Cuando una figura pública fallece en circunstancias que podrían estar relacionadas con las drogas, suele haber una repentina avalancha de titulares sobre «la amenaza de las drogas», los drogadictos (o «yonquis») y el espectro del traficante de drogas esperando a la salida de las escuelas. Los reportajes que encontramos bajo estos titulares tienden a ser muy sensacionalistas, carecen de una información precisa y suelen servir para desencadenar la reacción de pánico en los padres y la percepción, para los jóvenes, de que el consumo de drogas es algo glamuroso, en el que participa gente emocionante y creativa que vive deprisa y muere joven. Una vez más, suelen servir para distorsionar la imagen y no sirven de orientación a los jóvenes. Los documentales de la televisión, aunque suelen presentar un punto de vista razonablemente equilibrado y bien informado de un cierto aspecto del consumo de drogas, no pueden cubrir todo este tema. Por sí mismos, no son suficientes para asegurar que su hijo comprenda todos los puntos implicados.

Clubes juveniles y grupos juveniles de voluntariado

Los líderes de los grupos juveniles pueden decidir potenciar la concienciación respecto al tema de las drogas entre sus miembros, haciendo que haya información disponible, dirigiendo tertulias o de modos más formales, aunque no están obligados a hacerlo y puede que, de todos modos, no se sientan preparados para afrontar este tema. Una vez más, es importante que usted sepa qué información recibe su hijo, y el líder del grupo de tu hijo debería poder y querer explicarle si se está tratando este tema y el modo en que se está haciendo.

¿Qué pueden hacer los padres?

Como podemos ver, su hijo puede haber obtenido ya una buena cantidad de información de varias fuentes, pero esta información puede no ser equilibrada. Incluso aunque se le haya ofrecido un relato bueno y con hechos sobre el abuso de las drogas, quizá en una clase de educación personal y social o en su club juvenil, probablemente no llegue a conocer, en una sesión, todo lo que necesita saber: habrá ocasiones en las que querrá que le aclaren algo que ha oído en la escuela, o reafirmarse respecto a una experiencia que haya tenido y, aunque pueda obtener la información y el apoyo que necesita de un profesor o de un asistente juvenil, no estarán tan al alcance como usted, y no pueden tener la misma preocupación sincera ni conocen tanto a su hijo como usted.

Su hijo no puede y no debería tomar decisiones importantes que afecten su vida si está en un estado de vacío emocional. Sólo usted puede hablar y escuchar a su hijo en lo que respecta a las drogas en el marco de la vida familiar y desde el punto de vista de alguien que se preocupa por él y por su futuro. Necesita hechos, pero también necesita su aportación para ayudarle a interpretar el impacto de esos hechos en su vida y en la vida y las expectativas de toda la familia. Lo que piense y sienta usted como progenitor es importante para su hijo, incluso aunque se muestre poco dispuesto a admitirlo (hasta a sí mismo), y sus posturas y opiniones influirán en el modo en que se sienta y en las decisiones que tome. Necesita saber qué siente usted, además de lo que usted sabe sobre este problema, aunque ambos deban saber claramente dónde acaban los hechos y empiezan los sentimientos.

Los hechos sobre las drogas son fáciles de aprender, y este libro debería proporcionarle toda la información que necesitará para hablar con su hijo de las drogas con las que puede encontrarse, los efectos que pueden tener y los peligros que conllevan. Si usted o su hijo quieren saber más, pueden consultar las secciones de direcciones útiles que aparecen en los sitios web de los organismos oficiales de su país y obtener así fuentes que les proporcionarán información más detallada.

Los sentimientos pueden ser más difíciles de manejar, y es importante que los repase bien en lo que respecta a la posibilidad de que su hijo toma drogas antes de lanzarse a una conversación importante sobre este problema. De otro modo, usted podría quedar sorprendido por la fuerza de sus propias reacciones ante las opiniones de su hijo sobre la materia, y resultaría difícil entablar una conversación constructiva.

¿Cómo lo hago?

Ha decidido usted que quiere hablar con su hijo sobre las drogas, pero ¿cómo hacerlo? ¿Debería arrinconarle en su habitación y darle una charla?, ¿debería comenzar a hablar, como quien no quiere la cosa, durante la cena?, o ¿debería esperar a que sea él quien saque el tema? Con suerte, el tema surgirá como consecuencia de algo que usted o su hijo verán en la televisión o en los periódicos. Quizás su hijo le hablará de un caso de su propia experiencia o de la de un amigo, quizá conozca a alguien que consume drogas, o puede que le hayan sido ofrecidas durante una fiesta. No obstante, si no es así, ¿por qué no pedirle su opinión sobre un tema relacionado con las drogas en lugar de empezar a darle una charla? Pregúntele: «¿Crees que mucha gente de tu colegio ha consumido drogas?», o «¿por qué crees que cada vez más jóvenes toman drogas en la actualidad?». Sin importar cómo surja el tema, intente recordar los siguientes tres puntos clave.

• *No se asuste*
Incluso aunque sus peores pesadillas se vuelvan realidad, y su hijo le diga que ha tomado o está tomando drogas, no se deje llevar por su comprensible necesidad de gritar y decirle lo estúpido que ha sido, encerrarle en su habitación y encontrar y destrozar a la persona que le suministró esa sustancia. El hecho de que su hijo y usted estén hablando sobre drogas es algo bueno. Aunque los sentimientos son muy naturales, dejarse llevar por ellos podría cerrar el canal de comunicación abierto entre su hijo y usted, y hacer que ahora y más adelante resulte imposible que le proporcione el apoyo que necesita. Puede que él esté muy asustado, aunque quizá intente ocultar esto con bravuconería y con una aparente falta de preocupación y un talante desafiante, y necesitará que usted sea fuerte por él y que le ayude a encontrar la confianza que necesita para mantener la situación bajo control. Enfadándose con él sólo consigue que siga consumiendo a escondidas.

• *Sea honesto*
Puede resultar tentador exagerar los aspectos negativos del consumo de drogas, con la esperanza de que esté tan asustado de las consecuencias que nunca ose experimentar. Esto rara vez funciona. Sin importar lo que le diga sobre los

peligros que conlleva su consumo, escuchará relatos de sus amigos y puede que incluso él mismo haya tenido experiencias que le demostrarán que las drogas no siempre dan lugar a desgracias. Le ayudará más contándole la verdad, y así sabrá que podrá confiar en usted para obtener consejos honestos y apoyo si alguna vez se mete en una situación que le provoque preocupaciones.

Esto no significa que deba explicar los hechos sin pasión. Después de todo usted le quiere y se preocupa por él. Resultaría sorprendente que no tuviera opiniones ni preocupaciones sobre el consumo de drogas, y es bueno que le hable de ellas. Su cariño por él y por lo que hace es importante para la imagen que él tiene de sí mismo. Si no se preocupa por los riesgos que asume ¿por qué debería hacerlo él? Dígale, por todos los medios posibles, lo preocupado y molesto que estaría si tomara drogas, pero no espere que simplemente esto suponga la diferencia entre que experimente o no.

• Sea realista

La adolescencia es un momento para asentar la independencia respecto de los padres y todo lo que representan, y para averiguar qué tipo de persona se es por derecho propio. Una de las formas en que los niños han hecho esto desde siempre es participando en actividades que saben que sus padres desaprobarían y frecuentemente (especialmente en lo que respecta a los chicos) que impliquen un cierto riesgo. Todos hemos visto al muchacho que pedalea hasta la escuela con su casco colgando del manillar y sabemos que se lo quitó en cuanto se alejó un poco de casa. Todos hemos oído historias de chicas que han ido a discotecas prohibidas con el pretexto de estar con unos amigos. La experimentación con drogas tiene todos los elementos para atraer al adolescente en esta etapa de su desarrollo y nosotros, como padres, tenemos que aceptar, por mucho que deseemos que no fuera así, que nuestros hijos pueden entretenerse con drogas, sin importar lo que digamos. No obstante, si disponemos de información precisa y contamos con el sentimiento de que vale la pena protegerles, será más probable que superen esta fase sin hacer nada que tenga unas consecuencias irreversibles sobre su salud física, mental o emocional. Es realista que los padres intenten proporcionar dicha estabilidad física, mental y emocional, pero no deben suponer que ellos van a poder evitar que las drogas entren en sus vidas, aunque esto sea lo que todos preferiríamos. Apartar de nuestros hijos los conocimientos que podrían hacer que el uso de las drogas les resultara más seguro no es una buena opción.

¿Cómo tratar con las preguntas delicadas?

• **¿Ha probado usted alguna vez las drogas?**

Bien, ¿lo ha hecho? La mayoría de los que tenemos hijos quinceañeros en la actualidad, crecimos en un entorno social en el que el consumo de droga era prácticamente la norma, y se han usado muchos tipos de ellas a lo largo de la vida de todos los que hemos sido padres. Si experimentó con drogas, puede que se gane el respeto de su hijo diciéndoselo, y diciéndole por qué no llegó más lejos con sus experimentos. Si ha tenido un verdadero problema con las drogas (incluso con aquellas como el alcohol y el tabaco, que son legal y socialmente aceptables), decirle a su hijo, de primera mano, lo muy afectada que pueden quedar su vida y sus relaciones y lo muy duro que puede resultar dejar las drogas, puede tener un mayor impacto que cualquier estadística o relato de terror. Puede resultar muy difícil admitir ante él que usted ha cometido errores, especialmente si ha optado por la rama del «compórtate como yo digo y no como yo hago» o por la del «porque yo sé más que tú». No obstante, los padres no tienen que ser perfectos, y ver a los padres admitir sus errores y enfrentarse a ellos puede suponer una lección valiosísima para tratar con los propios.

• **¿Por qué es correcto el alcohol y fumar y no lo es el cannabis?**

Si usted consume alcohol o tabaco de forma regular, podría encontrar algo difícil contestar a esta pregunta. De hecho, pocas personas podrían decir que el beber y el fumar carecen de peligros. Resulta que, debido a razones históricas y económicas, son legales. El cannabis no lo es, y esto conlleva problemas propios que deben ser tenidos en cuenta, junto con los peligros de consumir cualquier droga para divertirse, tanto si es legal como si no. Una vez más, si usted es fumador o bebedor, puede contarle a su hijo de primera mano lo difícil que resulta dejar de consumir estas sustancias una vez se ha empezado y lo importante que es usarlas de forma responsable si lo haces.

• **Siempre me estás diciendo lo que tengo que hacer**

La mayoría de los adolescentes se sienten así, tanto si el sentimiento está justificado como si no. A veces, los padres dicen a sus hijos lo que tienen que hacer: «ordena tu habitación», «baja el volumen de la música», etc. Sin embargo, hablar sobre un tema como las drogas es (o debería ser) distinto. Explique que quiere ayudarle para que esté preparado para tomar sus propias decisiones en la vida, y no tomar todas sus decisiones por él. Esto resultará más sencillo si le ha permitido gradualmente asumir parte de la responsabilidad por sus actos a lo largo de su niñez.

• Si quiere tomar drogas, no puedes evitarlo

Esto es muy cierto pero, obviamente, usted no quiere que su hijo asuma riesgos innecesarios, porque le quiere y se siente responsable de él, y así es como debería ser. Éste es un asunto de amor y preocupación por él, y no de disciplina ni rebelión y es importante mantener la charla a este nivel.

• Mi amigo tomó éxtasis y no le hizo ningún daño

Muchas personas toman drogas ocasionalmente, e incluso regularmente, y no sufren ningún daño. Sin embargo, no hay forma de conocer, por adelantado, si una cierta persona será afortunada o si pertenecerá al pequeño grupo de los que sufren daños permanentes o incluso la muerte como consecuencia del abuso de las drogas. Como las drogas ilegales suelen estar adulteradas y la dosis verdadera es incierta, y como diferentes personas reaccionan de distintas maneras incluso a una dosis conocida de ciertas sustancias, una o dos experiencias seguras no significan que los problemas no vayan a surgir nunca, ya sea con una droga nueva o con una conocida. Cualquiera que tome estas sustancias está cediendo su control sobre lo que le sucede a su cuerpo y su mente, y es bueno que cualquiera que esté pensando en tomarlas piense si se trata de algo que quiere hacer de verdad, sean cuales sean los beneficios a corto plazo.

La forma en que hable a su hijo sobre las drogas es importante, pero no supone el cuadro completo. Gran parte de lo que sabe y siente sobre las drogas y su consumo es adquirido de formas mucho más sutiles, y sus posturas ante los principios de su consumo se habrán formado, probablemente, antes de que usted o cualquier otra persona haya incluso pensado en abordar directamente el tema con él. Ya desde sus primeros años puede usted marcar un ejemplo respecto al uso adecuado y responsable de las drogas, y ayudarle a desarrollar la confianza y la capacidad para tomar el control y la responsabilidad por las cosas que haga con su vida. En el siguiente capítulo veremos formas prácticas de potenciar ambos aspectos.

4

Ejemplos e independencia

Dar ejemplo

Sin importar lo que diga a su hijo, al final, la mayor influencia que tendrá sobre su forma de actuar será mediante el ejemplo que muestre en el seno de la familia a medida que él crezca. Las posturas ante el consumo de drogas no suponen una excepción.

Algunos de los factores que influyen en el modo en que los niños se sienten respecto a las drogas son sencillos y obvios. Las drogas forman parte de nuestra vida, y la forma en la que las usemos en el día a día es importante para mostrarles que están ahí, pero que no deberíamos confiar en ellas para que solucionen nuestros problemas:

• Si usted o un miembro de su familia deben que tomar fármacos por alguna razón, explique por qué los necesita, qué es lo que hacen, y dígale cuáles pueden ser los peligros o los efectos secundarios de esa sustancia: las píldoras para la migraña son de utilidad si tiene dolor de cabeza, pero le hacen sentir como drogado, por ejemplo, o las tabletas de hierro pueden ayudarle a mantenerle sana mientras está embarazada, pero podrían envenenar a un niño que ingiriera unas pocas.

• Si le gusta tomar una copa de vez en cuando, explíquele que disfruta de una copa de vino o de un par de cervezas como parte de una salida por la noche con los amigos, o tras estar acalorado después de segar la hierba del jardín, pero que tiene mucho cuidado para no beber tanto que se sienta embriagado y fuera de control, y que siempre evita conducir si ha estado bebiendo.

• Asegúrese de que las drogas sean tratadas con respeto en el hogar. Elimine cualquier medicamento remanente devolviéndolo a un farmacéutico, y tenga el alcohol y los cigarrillos en un lugar seguro y fuera del alcance de los niños.

Enfrentarse

Quizás de forma menos obvia, la forma en la que maneje su estrés, sus tensiones y sus problemas puede influir en la probabilidad de que su hijo consuma drogas. Uno de los factores que atrae a los jóvenes hacia su consumo y que hace que vuelvan a por más, es el alivio instantáneo que pueden proporcionar del estrés, la ansiedad y las dudas. Desde la infancia, buena parte del crecimiento implica desarrollar los recursos internos para hacer frente a nuestros problemas y preocupaciones. Algunos encontrarán esto más difícil que otros, debido no sólo a diferencias individuales y genéticas en cuanto al temperamento y las perspectivas, sino también, y en gran medida, a las influencias familiares. Usted puede ayudar a sus hijos mostrándoles formas de superar el estrés, reduciendo así las posibilidades de que encuentren en las drogas algo que satisfaga una necesidad que no pueden cubrir con sus propios recursos. Como el ejemplo es tan importante, debemos mirar, en primer lugar, las formas que tenemos nosotros de superar el estrés y los conflictos. ¿Cómo los supera usted?:

- ¿Reprime sus emociones?
- ¿Echando las culpas a los demás?
- ¿Toma una copa o fuma un cigarrillo?
- ¿Se deprime?
- ¿Evita situaciones que puedan alterarle?

Desde el punto de vista del niño, los sentimientos deben ser cosas verdaderamente peligrosas si incluso los padres no pueden hacerles frente y superarlos, y la única cosa segura debe consistir en intentar que se vayan. Por supuesto, no se irán, y así empieza una sucesión de eventos que pueden dar lugar a todo tipo de problemas psicológicos y físicos a medida que el niño lucha para superar unas fuerzas peligrosas y poderosas de las que no puede huir. Las drogas pueden formar parte de su mecanismo para superar esto. Entonces, ¿cómo podemos superar, en el seno de la familia, los conflictos de forma constructiva y proporcionar a nuestros hijos el modo de vivir y reconocer sus emociones placenteras y desagradables sin miedo?

La mentalidad del «toma una píldora»: desarrollando otras formas de superar los problemas

Evite dar la impresión de que hay una respuesta para cada problema y dificultad de la vida. A veces, la vida es muy incómoda, física y emocionalmente, pero aunque esta incomodidad pueda ser desagradable, no amenaza nuestra vida y suele pasar rápidamente. El remedio buscado para afrontar el problema puede, de hecho, provocar problemas peores que dicha incomodidad. En la familia, esto comienza con cosas sencillas como tomar una pastilla cada vez que se tiene dolor de cabeza, armando un gran revuelo por cada pequeño golpe y rozadura y, más adelante, intentando solucionar todas las disputas del hijo y protegiéndole de cada disgusto y decepción. Cuando muere la mascota familiar, por ejemplo, podemos evitar cualquier malestar inicial al decir que se ha escapado y se ha ido a vivir al campo, donde estará mucho más contento, pero este enfoque negará al niño la posibilidad de experimentar un duelo y de aprender la valiosa lección de que estas cosas pasan, y que la vida sigue. Los niños necesitan aprender que los sentimientos desagradables no les harán daño y que pasarán. Algunos de los que no aprendan esto intentarán escapar de estos sentimientos o controlarlos mediante el consumo de drogas, para evitar afrontarlos. Es responsabilidad de los padres que el niño aprenda a tolerar frustraciones.

La mejor forma de ayudar al hijo en estos momentos emocionalmente difíciles es ofreciéndole apoyo y alivio de forma natural. No desprecie sus sentimientos negándolos («no seas tonto, no hay nada por lo que sentirse triste»), ni dándoles más importancia de la que tienen («¡oh Dios mío, es terrible!, ¿verdad cariño? Salgamos y vamos a comprar esa bicicleta que querías para que así te sientas mejor»). Deje que los experimente a su manera y ofrézcale apoyo y un abrazo cuando lo quiera.

Enfrentarse a ello: conflicto y confianza

Hay veces para todo padre en que la vida familiar parece estar hecha, casi totalmente, de conflictos. Los hijos discuten constantemente entre sí, se fastidian los unos a los otros, gritan y están de mal humor, usted discute con ellos y con cada uno de ellos sobre sí mismos (todo muy diferente de la imagen de familia feliz que vemos en los anuncios de cereales y detergentes). Sin embargo, no deberíamos vernos inducidos a error y pensar que esto significa que sucede algo malo con nuestros hijos o en la forma en que les hemos educado. Se asume que las familias son así.

Es en el seno de la seguridad de la familia donde aprendemos a tratar con las decepciones, la frustración y los conflictos, y con los poderosos sentimientos que hacen aflorar en todos nosotros. Todos nos sentimos enfadados de vez en cuando, heridos, celosos y estos sentimientos son, al principio, muy amedrentadores y agobiantes (observe, simplemente, al niño que coge una rabieta y está totalmente fuera de control y prácticamente «poseído» por su rabia). No se equivoque al respecto, ésta es una experiencia muy amedrentadora para el niño: quiere destrozar todo lo que tiene alrededor y, por lo que él sabe, puede ser capaz de hacerlo. Si su cuidador se tranquiliza y evita que se haga daño a sí mismo y a los demás, le consuela y le asegura que cuando pase su berrinche aprenderá muy pronto que su rabia no es tan peligrosa como creía (no ha destrozado nada y las personas a las que quiere siguen ahí y continúan queriéndole). Con estos conocimientos vendrán los principios del control, aunque le llevará muchos años de experiencias similares alcanzar la madurez emocional. Si, no obstante, su cuidador pierde los nervios, le pega, le dice lo malo que es o reacciona de otra manera que le confirme sus peores miedos (que sus sentimientos son incontrolables y peligrosos), puede que nunca se sienta capaz de enfrentarse a estos sentimientos peligrosos y recurrirá a la negación, a la supresión o, sencillamente, le superarán.

El mismo principio se aplica durante la infancia. Como padres, no debemos tolerar el mal comportamiento, pero afrontar la rabia y las frustraciones de los niños diciéndoles que son malas personas por sentirse así, o haciéndoles sentir que las emociones negativas deberían ocultarse y ser suprimidas, les negará la oportunidad de encontrar formas eficientes de solucionarlas. Los padres de Anne cometieron este error.

«Éramos tres hermanos en mi familia (yo era la de en medio). El mayor deseo de mi madre era que debíamos llevar lo que ella entendía como una "buena" vida familiar, y eso significaba que debíamos querernos y ser felices todo el tiempo. Las discusiones le chocaban y enfadaban y nos decía constantemente que debíamos ser buenos amigos y tratarnos bien. Ella y mi padre nos trataban, cuando éramos niños, con una escrupulosa equidad (si gastaba cierta cantidad de dinero en un regalo para uno de nosotros, gastaría exactamente la misma cantidad con los demás), si uno de nosotros recibía algún tipo de atención especial (una salida o incluso un abrazo) todos los demás debíamos obtener lo mismo.

Creo que ella debía creer que esto significaría que ninguno de nosotros debería tener nunca motivo de queja, ni para pedir nada, pero, por supuesto, no fue así. Todos éramos distintos y yo, por alguna razón, parecía necesitar más apoyo que mi hermano y mi hermana. Había veces en que me sentía baja de moral o ansiosa respecto a algo y necesitaba un abrazo o un poco de atención, pero no la obtuve: mi madre me decía que debía dejar de hacer el tonto, que era una niña afortunada y que no tenía nada de lo que preocuparme. Mi hermano y mi hermana estaban contentos la mayor parte del tiempo, por lo que a mis padres se refiere, así que ¿por qué no debería estarlo yo también?

Pensaban que eran demasiado exigente y cualquier expresión de rabia o resentimiento era considerada horrorosa. Me dieron la clara impresión de que algo en mí no funcionaba por tener sentimientos como ésos, y yo no me sentía bien conmigo misma por sentirme así. Crecí pensando que los sentimientos de rabia y dolor debían ser evitados siempre. No podía hacer, por supuesto, que se fueran, pero cuando tenía unos 16 años encontré algo que ayudaba: el alcohol. Tras unos tragos, nada parecía importar ya tanto, y podía relajarme con mis amigos y ser yo misma. Aparentaba más edad, así que no tenía problemas para que me sirvieran bebidas en los bares y las tiendas.

Durante unos pocos años bebí mucho, e hice un par de cosas mientras estaba borracha que preferiría olvidar. Realmente dependí del alcohol durante un tiempo, y creo que podría fácilmente haber quedado enganchada para siempre. Afortunadamente, conocí a mi actual novio y gradualmente tuve la suficiente confianza en sus sentimientos como para permitirme ser yo misma cuando estaba con él. Me he puesto de mal humor con él una o dos veces, hemos tenido alguna discusión de vez en cuando, y él no ha dejado de quererme (no puedo expresar el alivio que eso supone), y ya no necesito emborracharme para esconderme de mis sentimientos.»

En cualquier aspecto de la vida familiar, el ejemplo paterno puede ayudar o dificultar que los hijos aprendan a superar constructivamente las situaciones difíciles y sus emociones, pero aquí tenemos algunos principios básicos que usted puede aplicar en todo su trato con su hijo:
- Hable sobre los sentimientos: los suyos y los de él.
- Su hijo aprenderá de usted el vocabulario que necesita para expresar sus sentimientos.
- Hablar sobre sus sentimientos le ayudará a comprenderlos y a hacerles frente.
- Los niños necesitan, a veces, apoyo para hacerles ver que la forma en que se sienten es normal.
- Acepte la forma en que él dice sentirse.

Si no lo hace, acabará por dejar de decirle cómo se siente. Esto puede parecer muy obvio, pero, ¿con cuánta frecuencia ha oído o ha tomado parte en este tipo de intercambio?:

Hijo: «Odio la escuela, no quiero ir nunca más».

Madre: «¡Tonterías! Siempre te ha encantado».

Una respuesta más positiva podría ser: «Pareces infeliz. ¿Qué ha pasado para que te sientas así?»

• *Sea positivo*

No es suficiente con decir a los niños, simplemente, en qué se han equivocado. Intente, por lo menos, equilibrar las críticas hacia su hijo con elogios por las cosas que haga bien, y así, su autoconfianza se verá enormemente beneficiada. Incluso cuando los niños se han portado muy mal, como a veces sucede, es importante que sepan que les seguimos queriendo, incluso aunque aborrezcamos lo que han hecho.

• *Espere lo mejor*

En algunas familias, los niños siempre son considerados culpables hasta que no se pruebe su inocencia. Los adultos suelen necesitar a alguien a quien echar la culpa de las cosas que van mal, se pierden o, sencillamente, no funcionan como hubiesen querido. Después de todo, si no echan la culpa a alguien rápidamente, quizás tengan que asumir ellos la culpa. Al ver que se espera poco de ellos, los niños vivirán de acuerdo con eso: ¿para qué esforzarse si sabes que todos pensarán lo peor de cualquier cosa que hagas? Sacar lo mejor de su hijo significa proporcionarle cada oportunidad para hacer lo correcto, respetándole lo suficiente como para creer que así lo hará la mayor parte del tiempo y diciéndole lo orgulloso y contento que te sientes cuando lo hace así. Si usted puede hacerlo, vivirá para colmar sus expectativas la mayor parte del tiempo.

Confianza y presión de los compañeros

Como cualquier padre sabrá, pocas cosas preocupan más a un niño que sentirse diferente a todos los demás. El simple hecho de tener un calzado distinto al del resto de compañeros de la clase puede suponer una gran fuente de ansiedad para muchos niños y, para el niño, el tener unos padres que sean ligeramente raros puede provocar un gran sentimiento de vergüenza. La presión para encajar es tan fuerte que algunos harán cosas que saben que están mal y asumirán riesgos que les causarán preocupaciones sólo por ganarse la aceptación de sus compañeros. En lo que respecta al consumo de drogas, esta presión puede suponer un factor importante en las decisiones del niño para participar o retirarse.

La presión para encajar o impresionar será mayor para aquellos niños que no se sientan seguros sobre su valía o aceptabilidad como personas por sí mismas y, desgraciadamente, la falta de autoconfianza suele ser obvia para los demás, y hará que resulte más fácil que sean rechazados o manipulados por otros niños. Puede ayudar a su hijo a que desarrolle su autoconfianza mientras está creciendo: primero y más importante, ofreciéndole su amor y aceptación incondicionales, pero también de las siguientes maneras:

• Permitir que se haga independiente a su debido tiempo (véase debajo).
• Permitiendo que piense por sí mismo y tome decisiones.
• Escuchando y respetando sus puntos de vista y sus opiniones, incluso aunque no siempre coincida con él.
• Descubriendo actividades mediante las cuales puede obtener una sensación de logro y de valía propia.

Hacerse independiente

Los niños crecen de forma natural hacia la independencia, y usted le puede ayudar de la mejor manera posible ofreciéndole la seguridad que necesita sin asfixiar su necesidad de independencia. Al contrario de lo que muchos creen, no puede hacer que un niño sea independiente. Forzándole hacia una independencia excesiva demasiado pronto, negándole, por ejemplo, la presencia de su madre cuando la necesite o enviándole a la guardería antes de que esté preparado, retrasaremos el momento en el que se sentirá con confianza y sea capaz de arreglárselas por sí mismo. No obstante, a lo largo de la niñez, es importante ofrecerle nuevos retos y ayudarle con las naturales dudas e inseguridades que sienta al asumirlos. El dar con este equilibrio es una de las cosas más difíciles que tiene que hacer un padre, pero es esencial si debe desarrollar la autoconfianza que necesita para cuidar de sí mismo.

Maneras prácticas de mantener a su hijo alejado del peligro

Aunque la mayoría de los niños se verán expuestos a la disponibilidad y al consumo de drogas, ya sea mediante contactos en la escuela u otras personas, puede protegerle de esto, en cierta medida, asegurándose de que ocupe su tiempo con actividades constructivas en un entorno seguro. Para cuando sean quinceañeros, cualquier repentino interés por saber con quién van y qué hacen será visto con una cierta sospecha, así que es importante asentar sus aportaciones a su vida social y recreativa lo más pronto posible. Las siguientes medidas le de ayudarán en ello:

• *Conozca a sus amigos*
Como hemos visto, los amigos de su hijo suponen una importante influencia en su vida. Intente conocerles, y también a sus padres, desde el primer momento. Puede hacer que su hijo tenga confianza para hacer amigos proporcionándole, en casa, un entorno feliz y seguro en el que se puedan asentar amistades. Puede pensarse que es como un chantaje, pero los niños se ven influidos en la elección de sus amigos si pueden pasar un buen rato, y los otros padres animarán a sus hijos a que entablen y conserven la amistad con su hijo si le conocen y confían en usted.

• *Manténgales ocupados*
Encuentre actividades en las que puedan participar de forma segura, haga posible que lleguen a ese lugar y anímeles a perseverar y a sacar lo mejor que llevan dentro. Suele ser todo un alivio que su hijo le diga que no quiere ir más a clases de danza (se acabó el ir corriendo de un lugar a otro después de las clases y nada de trajes o zapatillas de ballet caras), pero el aburrimiento es un factor importante que puede hacer que un niño acabe consumiendo drogas. Es importante que los niños participen en actividades de forma continua y que tengan interés en cosas que les aporten algo cons-

tructivo que hacer con su tiempo, y así proporcionarles un sentimiento de logro y confianza.

• *Tenga su casa abierta*

Cuando los niños llegan a la etapa en la que les gusta hacer cosas juntos en grupos, necesitarán algún lugar al que ir. Puede que a no todos les parezca divertido tener a un grupo de adolescentes hambrientos tomando posesión de la cocina y riéndose con chistes incomprensibles, pero si están en su casa no estarán callejeando por las esquinas ni en otros lugares indeseables. Animar a su hijo y a sus amigos a usar su casa como centro de actividades sociales puede acabar siendo positivo a largo plazo.

• *Establezca límites*

Su hijo necesita saber, desde el principio, que es importante para usted saber dónde está, con quién está y cuándo prevé volver. En una zona en la que la mayoría de los lugares a los que querrá ir su hijo están a una cierta distancia, tendrá que organizárselas con el transporte, y el proporcionarle esto, quizás en cooperación con otros padres, le proporcionará un cierto control sobre la situación.

• *Ofrézcales un «salvavidas»*

No puedes pretender que tu hijo adolescente se quede en casa cada noche cuando sus amigos van a fiestas o a las discotecas. No obstante, puede asegurarse de que siempre tendrá una salida ante cualquier situación en la que se sienta incómodo. Dígale que irá y le recogerá, sin duda alguna, si le telefonea, y que apoyará cualquier excusa que necesite dar (que tiene que llegar a casa pronto porque usted se tiene que ir, que está usted enfermo y no quiere quedarse despierto toda la noche esperándole, o lo que sea). Mis propios hijos adolescentes están en esa edad en la que los amigos a veces telefonean y les comentan de ir a lugares a los que no quieren ir y con gente con la que no quieren estar. A veces sienten que necesitan una excusa para no ir, y les dirán a sus amigos que deben hablarlo antes conmigo. No me molesta en absoluto interpretar el papel del «malo» y «prohibirles» ir a un cierto lugar con algún pretexto (que necesito que se queden de canguros o insistiendo en que deben acabar sus tareas escolares), y así pueden salir de una situación embarazosa sin quedar mal.

Ser buenos padres

Ser padres es una habilidad como cualquier otra, y lleva tiempo aprender lo que funciona y lo que no. En este capítulo he intentado mostrar lo importantes que pueden ser las habilidades paternas en el desarrollo de la confianza, la autoestima y la independencia de los niños, pero aquí no podemos sino dar una visión superficial.

5

¿Está mi hijo tomando drogas?

¿Cuáles son los efectos?
¿Qué debería tener en cuenta?

Aunque los efectos del consumo ocasional y experimental de las drogas pueden durar poco y ser muy difíciles de detectar, el uso regular dará lugar a cambios en el comportamiento y síntomas físicos que resultarán obvios para la mayoría de los padres. El problema es que muchos de estos cambios podrían ser también resultado de los problemas físicos y mentales propios de la adolescencia, así que puede resultar difícil decir, con certeza, que su hijo esté consumiendo drogas si no existen otros indicios que lo corroboren. Por tanto, los siguientes síntomas emocionales y de comportamiento pueden indicar que su hijo está consumiendo drogas, pero también podrían significar que está librando una batalla contra las presiones que comporta el crecer:

• Cambios de humor repentinos, regulares y notorios.
• Agresividad no normal en él.
• Deja de realizar actividades que antes habían sido importantes para él.
• Cambios en los patrones de alimentación, especialmente la pérdida del apetito.
• Aletargamiento y sopor, y pasar mucho tiempo en la cama.

No obstante, la mayoría de los padres de quinceañeros reconocerán que algunos de los síntomas descritos afectan a su hijo en un momento u otro y en grado variable. Aunque puede que le preocupen y le irriten, sería un error atribuirlos con demasiada rapidez a un problema grave o específico como el abuso de las drogas (los adolescentes se comportan a veces de forma rara, hosca, y suelen darnos muchos quebraderos de cabeza). No obstante, si estos cambios conllevan algunos de los síntomas más concretos citados a continuación, puede tener buenos motivos para sospechar del consumo de drogas:

• Escasez repentina de dinero, sin que existan signos obvios de en qué lo gasta.
• Desaparición de dinero u objetos pertenecientes a otros miembros de la familia.

- Mentiras, secretos, intentos obvios de ocultar actividades, etc.
- Síntomas de intoxicación.
- Manchas u olores extraños en la ropa.
- Adquisiciones raras, desaparición de la laca para el pelo, de gasolina para los mecheros y de otros disolventes y otros objetos como cucharas...
- Llagas alrededor de la boca o la nariz.
- Bolsas de plástico con restos de pegamento.
- Restos de cigarrillos hechos a mano, papel de fumar y briznas de tabaco sueltas.
- Pequeños trozos de papel de aluminio quemado.
- Pequeños envoltorios de papel (papelinas).
- Pipa de fabricación casera, posiblemente hecha a partir de un lata o botella vacía y algún tipo de tubo.

Como hemos visto en el capítulo 1, la inyección es muy rara en este grupo de edad y entre la población en general. Los siguientes síntomas, no obstante, pueden hacerle sospechar que su hijo se está inyectando drogas:

- Marcas de pinchazos en el cuerpo, especialmente en los brazos y las piernas, y el no querer llevar prendas que puedan hacer que se vean.
- Utensilios para inyectarse: agujas, jeringas, torniquetes improvisados (posiblemente un cinturón, una cuerda, o la cinta de un albornoz).
- Manchas de sangre en la ropa, la cama o alfombra.

La historia de Natasha

Natasha, de 15 años, había sido siempre una niña feliz y llena de energía, así que su madre empezó a preocuparse cuando empezó a estar más pálida de lo normal y parecía cansada y apática. Al principio lo atribuyó al estrés de sus próximos exámenes (Natasha no era especialmente buena para los estudios y siempre había pensado que tenía que poner más empeño que sus compañeros para conseguir las mismas calificaciones). Intentó que, en alguna ocasión, Natasha se tomara una pausa de los estudios, pero ella siempre decía que no tenía tiempo para otra cosa que no fuera estudiar y pasaba mucho tiempo en casa de sus amigos, aparentemente haciendo las tareas escolares.

La salud de Natasha continuó empeorando. Siempre parecía cansada y, aunque pasaba mucho tiempo estudiando, sus tareas escolares también empezaron a empeorar. Entonces, su madre leyó un artículo sobre la heroína en una revista. Entre las ilustraciones aparecía una fotografía de los pequeños trozos de papel de aluminio chamuscado característicos de la inhalación de heroína y se dio cuenta, con horror, de la importancia que tenían los trozos idénticos de papel de aluminio que había encontrado un par de semanas antes en los bolsillos de las chaquetas de Natasha cuando los había vaciado para hacer la colada. Decidió hablar con ella tan pronto como volvió de casa al mediodía.

Natasha rompió a llorar tan pronto como su madre le preguntó si estaba consumiendo drogas. Ella misma estaba preocupada por ello. Al principio había consistido en una pequeña diversión con amigos y una huida de la presión que representaban los exámenes, pero ahora no parecía capaz de dejarlo y se sentía bastante mal (tenía estreñimiento y había dejado de tener la regla). Había gastado casi todo el dinero de su libreta de ahorros y estaba preocupada por lo que pasaría cuando se quedara sin dinero.

Fueron juntas a ver al médico y se envió a Natasha al CAS correspondiente. Se le recetó medicación para sustituir la heroína que tomaba, y se le ayudó a que, gradualmente, redujera la dosis, hasta abandonar la medicación por completo.

Ahora que sus preocupaciones habían salido a la luz, Natasha pudo hablar con su madre o con un asesor sobre las presiones a las que sentía que estaba sometida en la escuela y, aunque a veces resultó difícil, logró, aparte de las recaídas ocasionales, evitar consumir heroína de nuevo. Varios meses más tarde, y con los exámenes pisándole los talones, encuentra cada vez más fácil enfrentarse a ellos y no cree que vuelva a caer en la misma trampa. «En otra ocasión, no me pondré tan nerviosa. Es mejor sacar a la luz las preocupaciones y hablar sobre ellas que guardárselas: ahora ya sé eso».

¿Qué sucede si encuentro una sustancia que creo pueda ser una droga ilegal?

Debe decirse que es improbable que encuentre drogas por ahí tiradas aunque, si de verdad está preocupado, un registro de la habitación de su hijo o de sus pertenencias puede hacer que aparezca una cierta cantidad oculta. Cualquier tableta, polvos, sustancia cristalina o hierbas, líquidos e, incluso, trozos de papel impresos que no sepa exactamente lo que son, podrían ser motivo de preocupación, aunque puede resultar muy difícil saber con total certeza qué son, y puede que sean cosas totalmente inocuas. Siempre existe la posibilidad de que un amigo haya dado a su hijo una sustancia que no tenía intención de consumir, y que la lleve consigo y la muestre a sus amigos para hacerse el bravucón, incluso aunque se haya hecho, con este fin, con algo que parezca droga.

Si usted encuentra una sustancia que teme pueda ser una droga ilegal, su reacción inmediata será, probablemente, averiguar de qué se trata. Puede hacerlo de diversas formas.

• *Llame a un CAS (Centro de Atención y Seguimiento)*

Son centros de salud pública, especializados en el tema y que se distribuyen por zonas de residencia.

• *Pregunte a su hijo*

Realmente, es muy difícil dar con la manera de decir: «Estaba registrando tus cosas mientras estabas fuera ayer, y encontré esto. ¿Qué es?», y que ello no provoque furia y acusaciones de violar la privacidad y la confianza que tiene en él. Llevar la sustancia para que la identifiquen, o implicar a otros en el asunto antes de haber hablado con su hijo, podría, sin embargo, resultar peor.

Si decide hablar con su hijo sobre lo que ha encontrado (posiblemente será la mejor opción a largo plazo), es importante que comprenda su rabia diciéndole, por ejemplo: «Lo siento, normalmente no hubiera pensado en hacer una cosa así, pero estaba tan preocupado por cómo has estado últimamente que miré en tu bolsa/debajo de tu colchón/en tus bolsillos, y encontré esto. Sé que debes estar muy enfadado conmigo, pero de verdad necesitamos hablar sobre lo que te ha estado preocupando últimamente y creo que esto puede ser importante». Su hijo puede estar enfadado, avergonzado y asustado por lo que sucederá a continuación, pero por lo menos sabe que lo que ha hecho estaba motivado por su preocupación por él, y no por un deseo de controlarle o evitar que crezca y madure. Le da la confianza de que, en su familia, los límites de la privacidad y la confianza son reconocidos por todos ustedes, incluso aunque los haya superado en esta ocasión.

¿Qué debería hacer ahora con la sustancia?

Si lo que ha encontrado resulta ser una droga ilegal, ahora es técnicamente posesión suya, y lo más seguro que puede hacer es destruirla. Si no lo hace, está técnicamente cometiendo un delito de posesión. En la actualidad, es un delito tirar drogas por el retrete o a las cloacas, aunque ésta sería la primera reacción de muchos padres. Tirar sustancias peligrosas a la basura o tirarlas en cualquier lugar no es, obviamente, una opción sensata ni segura, así que quizá debería tener una mayor ingenuidad para deshacerse de sustancias sospechosas o ilegales. Algunos padres quizá crean que será mejor entregarlas en una comisaría de policía, pero evitando las preguntas comprometidas diciendo que las encontraron por ahí, y no en su hogar (quizá que alguien las tiró en su jardín, o que las encontraron en la calle). Se trata de un tema difícil, y los padres escogerán su propia manera de solucionarlo dependiendo de las circunstancias y de los dictados de su conciencia.

Ayuda de emergencia

Algunos padres sólo averiguan que sus hijos consumen drogas cuando les ven enfermos, confundidos o inconscientes como resultado de haber consumido una sustancia o combinación de sustancias. Es muy improbable que usted deba hacer frente a las consecuencias de una mala experiencia con las drogas, pero es útil saber qué hacer si su hijo o uno de sus amigos resulta gravemente afectado como consecuencia de su uso. Su hijo también debería saberlo, y debe saber que podría encontrarse en la situación de tener que atender a un amigo que ha bebido demasiado o que ha sufrido una sobredosis en una fiesta, sus «amigos» le han hecho tomar drogas sin que él lo supiera, o se encuentra en un «mal viaje» tras tomar drogas alucinógenas.

Las siguientes indicaciones no pretenden ser un sustitutivo de un curso o manual de primeros auxilios, y es importante que cualquiera que deba llevar a cabo el boca a boca o realizar una reanimación cardiaca, haya aprendido a hacerlas correctamente, habiendo recibido los conocimientos de manos de un instructor cualificado.

Si el afectado está inconsciente

Pida a alguien que llame a una ambulancia. (Si lo tiene que hacer usted, hágalo después de comprobar la respiración y de colocar al afectado en una posición segura). Compruebe que el afectado siga respirando. Si es necesario, desabroche cualquier prenda que le apriete y retire cualquier cosa que pueda dificultar su respiración, como una bolsa de plástico o unos aparatos para los dientes que puedan ser extraídos. Colóquele de lado (en la posición de defensa, si la conoce), para que no se asfixie si vomita.

Si el afectado no respira, colóquele con la espalda sobre el suelo y sobre una superficie plana y elimine de la boca cualquier objeto que pueda obstruir la respiración (píldoras, ortodoncia, vómitos, etc.). Tire de la barbilla hacia atrás con una mano mientras presiona la frente con la otra, ya que con esto abriremos las vías respiratorias, y puede que esto sea suficiente para que vuelva a respirar. Si no es así, y sabe cómo realizarla, deberá intentarlo con la respiración boca a boca. Lea un manual de primeros auxilios para obtener más información.

Si está muy soñoliento

Si la persona está consciente pero muy soñolienta y sospecha que ha tomado drogas, deberá averiguar:
• Qué droga o combinación de drogas ha consumido.
• Cómo: ¿oralmente?, ¿por inhalación?, ¿o inyectada?
• Qué cantidad ha tomado.
• Cuánto hace que la ha tomado.

Si no tiene claras la seguridad de la dosis o la sustancia que ha tomado, es mejor ser precavido y llamar a una ambulancia, o telefonear al departamento de accidentes más cercano para pedirles consejo. Si está seguro de que no existe un peligro inminente, el objetivo será asegurarse de que la persona se mantenga consciente hasta que pasen los efectos de la droga, y observarles atentamente por si aparece cualquier síntoma de empeoramiento. Esto llevaría horas. No le dé una taza de té o café para ayudarle a mantenerse despierto, ya que esto hará que el efecto de la droga sea más rápido e intenso.

Si está asustado y confundido

Ciertas drogas alucinógenas y estimulantes pueden provocar episodios de pánico, confusión y un comportamiento agresivo o incontrolado. Si esto sucede es importante conservar la calma y tranquilizar a la persona que está teniendo un «mal viaje». Dígale que lo que siente es consecuencia de la droga que ha tomado y que pasará, e intente mantener una situación tranquilizadora y calmada. Puede que esto resulte suficiente para tranquilizarle, aunque podrían pasar dos o tres horas antes de poder dejarle solo, sin que exista peligro.

Si está hiperventilando (respirando demasiado, a bocanadas rápidas y con miedo, cosa que puede llevar a la inconsciencia), puede ayudarle a respirar con usted, de forma regular y despacio. Que respire una y otra vez el aire de una bolsa también será de ayuda.

Si tiene convulsiones

En ocasiones, el consumo de drogas, una sobredosis o el dejar de consumirlas, puede provocar convulsiones. Los ojos se quedarán en blanco y la musculatura se volverá rígida, esto vendrá seguido de sacudidas y, posiblemente, se perderá el control sobre la vejiga de la orina. Coloque a la persona que sufre convulsiones en la posición de defensa, asegúrese de que no haya nada en su boca que dificulte su respiración, proteja su cabeza con algo blando y asegúrese de que no haya nada a su alrededor con lo que pudiera hacerse daño si se revuelve. No coloque nada entre sus mandíbulas, ni intente mantener su lengua quieta con una cuchara ni con cualquier otro objeto, ya que no es necesario y puede provocar daños en los dientes.

En todos los casos

• Recoja cualquier cosa que vea cerca y que pueda ayudar a identificar la causa del problema (píldoras u otras sustancias, recipientes, jeringas, etc.).
• No se retrase en la obtención de ayuda médica debido al miedo a que pudiera aparecer la policía. Es muy improbable que suceda, ya que el personal médico no está obligado a informar a la policía si ofrecen tratamiento a un consumidor de drogas, pero, aunque lo hicieran, es mejor estar vivo y con un problema que muerto y no tener problemas con la justicia.
• No le dé nada para comer.
• No le dé café, té ni alcohol, ya que podrían empeorar las cosas. Se pueden dar sorbos de agua tibia a una persona afectada y consciente que se esté recuperando, si tiene mucha sed.

- Vigile atentamente al afectado por si empeora. Los afectados por las drogas pueden empeorar muy rápidamente.

Para obtener detalles sobre la enseñanza de primeros auxilios en su zona, obtenga información en las guías de teléfonos (por ejemplo, consulte Cruz Roja).

6

¿Qué debería hacer ahora?

En la mayoría de casos, los padres se darán cuenta de la implicación de su hijo en el consumo de drogas antes de que pase a ser un problema grave. Para algunos jóvenes, no obstante, puede que ya sea demasiado tarde para dejarlo con facilidad, auque puede que quieran dejarlo tanto como usted quisiera que lo hicieran. En tales casos es imperativo que los padres adopten un enfoque realista y quieran y sean capaces de proporcionar la información y el apoyo que necesita su hijo para arreglárselas sin las drogas. El simple hecho de apartarlas y evitar que pueda obtener más (suponiendo aunque esto fuera posible), no serviría para conseguir el objetivo. Si su hijo consume drogas regularmente y se ha vuelto psicológica y físicamente dependiente, es imperativo que usted busque ayuda especializada (veáse el capítulo 7 para obtener detalles sobre la ayuda de la que se dispone y dónde obtenerla).

Reacciones inmediatas

Imagine que ha averiguado que su hijo o su grupo están implicados en temas de drogas. Quizás él, la escuela, u otra persona se lo han dicho, o usted ha encontrado drogas entre sus pertenencias. ¿Cómo se siente? El primer y más agobiante instinto de la mayoría de los padres al descubrir que su hijo ha consumido o consume drogas es el de asegurarse totalmente de su destrucción, de que lo dejen de inmediato y nunca vuelvan a tomarlas. Ésta es una reacción más que normal, pero si no es controlada puede conllevar más problemas que los que pueda solucionar.

«Esperé hasta que volvió de la escuela (unas tres horas después de haber encontrado la sustancia) y no creo que pensara en ninguna otra cosa durante todo ese tiempo. Para cuando llegó a casa, estaba ya tan nervioso, que le grité tan pronto entró por la puerta. La cogí del brazo y le chillé que sabía lo que había estado haciendo, lo estúpida que había sido y que nunca más iba a traer nada parecido a mi casa. Se dio la vuelta y escapó corriendo.

Fue toda una sorpresa que me llamaran de la escuela. Estábamos totalmente avergonzados y no pudimos dejar de disculparnos ante el director. Debió pensar lo malos padres que debíamos ser, sin ni siquiera saber en qué estaba metida nuestra hija: estábamos furiosos con Clare.

Cuando averiguamos que uno de sus amigos había sido detenido por la posesión de drogas, nos sentimos horrorizados. Nos prometió que nunca las había consumido, pero su padre le dijo una vez que le prohibía volver a ver a ese grupo de amigos, y nos aseguramos de que no nos desobedeciera comprobándolo regularmente. Eso hizo que la situación en casa fuera muy incómoda, pero no queríamos arriesgarnos.»

Es normal estar preocupado (de hecho, su hijo probablemente estaría sorprendido y ansioso si no lo estuviera). Obviamente, querrá hablar con su hijo sobre sus preocupaciones lo antes posible, pero vale la pena pensar en su enfoque antes de lanzarse: el resultado final puede depender del tono de los primeros minutos de la discusión con el hijo. Como norma general, intente seguir estos pasos:

• *Tranquilícese*

Por difícil que pueda resultar, intente esperar hasta que la impresión y el pánico iniciales hayan pasado, y así podrá hablar tranquilamente con su hijo.

• *Escoja su momento*

No intente hablar con su hijo mientras él se encuentre bajo la influencia de las drogas. Espere hasta que puedan pasar algo de tiempo juntos y no vayan a ser interrumpidos y ninguno de los dos deba salir, para así poder pasar juntos todo el tiempo que necesiten.

• *Escuche su versión de la historia*

Al principio resulta más útil hacer preguntas que hacer suposiciones o dar un sermón. Intente, por ejemplo, «He oído que algunos de tus amigos toman drogas y estoy preocupado por si pudieras estar implicado. ¿Has tenido alguna vez la tentación de probarlas?», o «Hemos notado que no eres el mismo últimamente: pareces cansado y no muy bien. ¿Te sucede algo?», o «He encontrado algunas cosas por casa que parecen drogas o utensilios para el consumo de drogas. Me preocupa pensar que pudieras haber estado tomando drogas, y me gustaría hablar contigo sobre ello».

• *No haga que todo el tema se centre en las drogas*

Las drogas sólo son parte del problema. Pregunte a su hijo cómo se siente respecto al resto de cosas: la escuela, los amigos, cualquier tensión familiar.

• *Comprenda que pueda encontrar difícil hablar con usted*

Ofrézcale ayuda, apoyo y consejos, pero tenga en cuenta que puede que encuentre más fácil hablar con alguien que no sea de la familia. Dígale que usted buscará fuentes de ayuda y asegúrese de que la información esté a su alcance. Incluso aunque diga que no necesita ayuda, puede que cambie de opinión.

Si su hijo experimentó con drogas debido a la curiosidad o el aburrimiento, que será lo más frecuente, el hecho de que usted lo haya averiguado y la discusión que surja pueden resultar suficientes para hacerle desistir de repetir el experimento. Para algunos niños, sin embargo, la oposición de los padres hará que el consumo de drogas resulte más atractivo, como forma de asentar su independencia y madurez. Usted necesitará tener mucho cuidado para evitar que se convierta en un tema en el que su hijo sienta que debe retar su autoridad, o perderá su prestigio. Esto resultará más sencillo si ya ha hablado con su hijo sobre las drogas debido a su preocupación por él y por su autoestima.

¿Quería él que lo supiera usted?

La mayoría de los jóvenes son muy capaces de ocultar a sus padres cualquier cosa que no quieren que encuentren. Si usted ha encontrado rastros del consumo de drogas por casa, en los bolsillos o la mochila de su hijo, es muy posible que no se estuviera esforzando mucho por ocultárselas. Quizá quería haber hablado con usted sobre las drogas, quizá esté preocupado por los riesgos a los que se ha visto expuesto o se siente atrapado por un comportamiento respecto al consumo de drogas con el que se siente incómodo, ya sea por una dependencia física o emocional, o por la presión de sus compañeros, pero no se atreve a hablarle con franqueza. Quizá quería impresionarle, para así asentar su independencia o para hacerle saber lo triste que se sentía. En cualquier caso, una reacción excesiva por su parte podría cerrar la puerta al tipo de ayuda que le pide.

Puede que haya usted oído, de manos de otro padre, de la escuela o de un compañero de su hijo, que está implicado en el consumo de drogas. Como alternativa, los síntomas del posible consumo de drogas detallados en el capítulo 5 pueden haberle dado alguna idea de que algo no va bien. En cualquier caso, no puede tener la absoluta certeza de que lo que le han dicho o ha averiguado por su cuenta sea, necesariamente, la verdad. La única persona que puede decírselo con total certeza es su hijo. Si se presenta con las armas cargadas, quizá nunca sepa usted la verdad.

¿Qué hacer a continuación? ¿Debería llamar a la policía?

No está obligado, por ley, a denunciar a su hijo a la policía, incluso aunque sepa que ha tomado drogas ilegales (véase el capítulo 9 para obtener más detalles sobre las drogas y la ley). No obstante, algunos padres deciden implicar a la policía cuando averiguan que su hijo ha estado consumiendo drogas, y hay dos razones probables para tomar esta decisión.

• *Asustarle para que lo deje*
Puede usted pensar que un sermón de la policía y la amenaza de una ficha o historial de antecedentes delictivos hará que su hijo desista de probar las drogas de nuevo. Puede que sea así, y la policía colabora mucho para ver a los padres y a los hijos cuando se dan estas circunstancias. El que emprendan o no acciones contra el muchacho dependerá de su edad, del tipo y la cantidad de droga hallada (véase el capítulo 9). Si ha encontrado la droga e insiste en que la policía lleve a juicio a su hijo, se le pedirá que aporte pruebas que le acusen, y vale la pena pensar seriamente si el efecto y las consecuencias que podría tener esto sobre su relación con él será positivo o negativo a largo plazo. Para los padres que han intentado otros enfoques con el consumo continuo de drogas por parte de su hijo, o que creen que su hijo está haciendo que otros niños (pertenecientes o no a la familia) se pongan en peligro, éste podría ser el último recurso. La amenaza no es aconsejable ya que normalmente se obtiene que sigan haciendo lo mismo pero a escondidas.

• *Encontrar a las personas que le han suministrado las drogas*
Si su hijo ha estado consumiendo drogas, alguien se las habrá suministrado. La policía considera esto un delito grave, y quizá crea que valga la pe-

na que su hijo pase un mal rato si puede reducir las posibilidades de que a él y a otros niños les sea suministrada nuevamente droga de la misma fuente. Existen posibilidades, por supuesto, de que se la haya proporcionado un amigo, y puede que no quiera confesarlo a la policía, pero si se trata de dos amigos fumando un «porro», es improbable que la policía sea muy severa con ellos: lo más probable es que quieran averiguar cuál es la fuente de suministro.

• *¿Con quién debería contactar?*
El contactar con la unidad de estupefacientes dará, más probablemente, como resultado, una investigación, incluso aunque a su hijo no se le acuse de nada. Su máxima preocupación será la de dar con la fuente suministradora de las drogas y no querrán desistir hasta que obtengan la información que buscan.

¿Debería implicar a la escuela?

Si usted está preocupado por su hijo en edad escolar, tanto si la escuela está directamente implicada como si no, siempre vale la pena hablar con los profesores que conocen a su hijo para ver si pueden aportar algún dato sobre el asunto. Sabrán quienes son las amistades de su hijo en el colegio, cómo le va con sus tareas escolares, si ha habido algún cambio reciente en su comportamiento, etc.

Si sabe o sospecha que su hijo ha estado consumiendo drogas, o si ha dicho cosas que le hagan sospechar que los chicos de su escuela están implicados en su consumo, incluso aunque su hijo no lo esté, el colegio debería conocer estas preocupaciones. Si se toman o distribuyen drogas en su interior, la escuela se ocupará de tomar medidas ágiles y efectivas, lo que puede implicar llamar a la policía, aunque no estén obligados a hacerlo (algunos directores prefieren solucionar el asunto internamente). Los niños que hayan sido pillados con droga dentro del colegio serán expulsados temporal o definitivamente, dependiendo de las circunstancias.

Toda escuela debería tener una política sobre el consumo de drogas, explicando las medidas para la prevención y para solucionar cualquier caso que pueda surgir. Desgraciadamente, la responsabilidad de esta disposición depende de cada centro, aunque algunas autoridades locales pueden editar guías para las escuelas de su zona. Al igual que en cualquier otra área de la vida escolar, una política coherente y bien pensada, redactada tras consultar con el personal, los padres y los alumnos, y que se dé a conocer a todo el colegio, es la forma más efectiva de enfrentarse al tema del abuso de las drogas. Si el miembro del personal con el que usted hable desconoce la existencia de una política tal, entonces no puede ser efectiva o, incluso, no existe.

¿Debería contactar con los padres de otros niños si sospecho del consumo de drogas?

Si cree que un grupo de niños, incluyendo a su hijo, ha estado experimentando con drogas, podría ser útil hablar con los padres de algunos de ellos. Quizá ya les conozca, en cuyo caso será relativamente fácil que les exprese sus preocupaciones y les pregunte si han notado algo al respecto. No es buena idea lanzarse a hacer acusaciones de que su hijo ha llevado al de otro por el mal camino, o dar la impresión de que les culpa por ser malos padres: un enfoque del tipo «estamos juntos en esto» dará resultados mucho mejores.

Los padres pueden unirse, esto será muy útil para fijar unos estándares constantes para sus hijos, compartir información sobre las drogas y su prevención, compartir la responsabilidad de acoger las reuniones de sus hijos, y hablar de sus preocupaciones y sus experiencias como padres. Conocer a los amigos de su hijo y a sus padres es un aspecto muy positivo para protegerles de las malas experiencias, y es muy bueno que exista contacto con ellos antes de que se cree cualquier causa de preocupación.

7

¿Quién puede ayudar?

Las preocupaciones sobre las drogas pueden provocar una enorme tensión a todas las personas implicadas: el consumidor, su familia y el círculo (más amplio) de aquellos que se preocupan por él, pueden pasarlo mal, directa o indirectamente. Tanto si usted se ha encontrado con que su hijo ha tenido una única mala experiencia con una de las drogas menos peligrosas y adictivas, como si está viviendo con los problemas habituales de una dependencia ya asentada, ustedes, como padres, se beneficiarán de los consejos y el apoyo de un grupo de autoayuda o de un servicio especializado en las drogas, mientras su hijo puede necesitar ayuda para solucionar las ansiedades que hicieron que el consumo de drogas le resultara atractivo, además de una ayuda práctica para dejarlas y no recaer. La disponibilidad de ayuda varía entre las distintas zonas pero, como mínimo, parte del grupo de servicios listados a continuación debería estar a su disposición, viva donde viva.

Fuentes de ayuda

El médico de cabecera. Centro de Atención Primaria (CAP)

Si su hijo y usted tienen una buena relación con su médico de cabecera, él podría ser una útil fuente de ayuda con los problemas médicos asociados con el consumo de drogas. La voluntad o la capacidad de cada médico de cabecera de ayudar en los problemas emocionales y familiares que surgen debido al consumo de drogas, variará; pero debería poder ponerle en contacto con un CAS (Centro de Atención y Seguimiento) y proporcionarle información sobre otros servicios.

Equipos psicopedagógicos

Los psicopedadogos están presentes en todas las escuelas públicas. Estos profesionales pueden asesorar dónde acudir y cómo acceder a distintas informaciones de interés.

Unidades de drogodependencia (CAS)

Estas unidades suelen estar situadas en un hospital y proporcionan los mismos servicios que un equipo local de drogas, junto con cuidados psicológicos y psiquiátricos. Suele ser necesario que le remita a esta unidad un médico de cabecera o un equipo de drogas municipal.

Grupos de autoayuda

Como el abuso de las drogas no es un problema especialmente bien visto por la sociedad, los consumidores de drogas y sus familias rara vez pueden hablar con sus amigos y la familia sobre sus ansiedades. Como resultado, se suelen sentir enormemente aislados y solos. Los grupos de autoayuda proporcionan la oportunidad, a los consumidores de drogas y a sus familias, de hablar con otras personas que comprenden aquello por lo que están pasando y que no les juzgarán ni les criticarán, y compartirán su información y sus recursos. Mucha gente encuentra que este apoyo les permite superar lo que, de otro modo, sería una situación agobiante. Narcóticos Anónimos o agrupaciones similares disponen de grupos a su disposición repartidos por toda la geografía, y enviarán detalles a aquellos que los soliciten. Los grupos individuales suelen estar a su disposición localmente y, a veces, trabajan en colaboración con centros de ayuda contra las drogas o de rehabilitación.

Ayuda legal

Si su hijo tiene problemas con la justicia, es importante obtener ayuda legal lo antes posible. Puede ponerse en contacto con su abogado, si tiene uno, o encontrar uno cercano consultando las páginas amarillas.

¿A quién debería elegir?

El tipo de ayuda que necesitarán su hijo y usted dependerá de la naturaleza y la gravedad del problema. Puede que un experimento único con las drogas, o incluso una sospecha que se quedó en nada, haya destapado problemas en su familia que tienen poco o nada que ver con las drogas. Aunque puede, sin embargo, que aun así quiera obtener información para su hijo sobre las drogas, la ayuda que él y usted puedan necesitar puede conseguirse fácilmente en una clínica de asesoramiento infantil o una agencia de asesoramiento juvenil, o en centros de asesoramiento especializado sobre drogas cuando sea necesario.

A pesar de ello, en el caso de un problema de drogas frecuente o ya asentado, los servicios especializados tendrán una mejor capacidad para proporcionar una ayuda adecuada.

¿Cómo encontrarlos?

Algunos de los servicios mencionados anteriormente aparecerán en el listín telefónico, mientras que su médico de cabecera, la autoridad sanitaria local, alguna organización voluntaria que asesoramiento legal, o su biblioteca, podrán ponerle en contacto con otros. En el Reino Unido hay organizaciones de carácter local para dar con ayuda en su zona, la *Standing Conference on Drug Abuse* (o SCODA, asociación privada que ofrece asesoramiento sobre las drogas) publica una lista completa que ofrece fuentes de ayuda para los problemas de drogas en Gran Bretaña y Gales, y otro para Escocia, y la ADFAM National (asociación que ayuda a familias en las que hay problemas con las drogas y el alcohol) le proporcionará detalles de fuentes de ayuda en su zona.

A pesar de todo ¿de quién es el problema?

A veces, los padres que llevan a su hijo para obtener ayuda con un problema de comportamiento o emocional se sorprenden cuando se les aconseja que traigan a otros miembros de la familia (a veces a toda la familia) para obtener la ayuda y el asesoramiento, ya sean individuales o conjuntos. Si le sucede esto, no crea que están poniendo en duda ni criticando su capacidad como padre, o que usted o sus otros hijos están siendo culpabilizados por el problema del niño para el que buscó ayuda. El hecho es que la familia es una unidad compleja e interdependiente, y el comportamiento de cada miembro tiene consecuencias inevitables para cualquier otro miembro y para la familia en su conjunto. Tal y como explica un terapeuta familiar que trabaja con familias de consumidores de droga:

«La familia es como una balsa que flota en el mar: cada miembro adopta una posición en la balsa para mantenerla estable y que flote. Cuando un miembro se desestabiliza, el resto se ve forzado a asumir nuevas posiciones para mantener la estabilidad de la balsa y evitar que se hunda. Podemos ayudar a ese miembro a resolver sus problemas y a encontrar un nuevo puesto en la balsa, pero, a no ser que el resto de los miembros sea consciente de los cambios y también modifique su posición, la balsa seguirá siendo inestable (puede que el afectado incluso sea forzado a volver a consumir drogas, ya que éste se ha convertido en el rol en la familia). No obstante, con ayuda, todos pueden encontrar, de nuevo, una posición cómoda y estable.»

En resumen, un problema familiar es un problema de todos, y todos deben implicarse para dar con la solución.

¿Qué sucede si mi hijo no se quiere dejar ayudar?

Puede encontrar fuentes de ayuda para él, incluso puede arrastrarle para que vaya a ver a un médico o a un asesor, pero a no ser que él quiera aceptar la ayuda que se le ofrece todo esto será de poca utilidad. A veces, con los adolescentes de mayor edad, la insistencia puede hacer que resulte menos probable que acepten la ayuda que se les ofrece, y algunos padres quizá deban aceptar que lo mejor que pueden hacer por su hijo es proporcionarle tanta información como sea posible sobre las fuentes de ayuda, y dejar que sea él quien acuda a ellas cuando se sienta preparado.

La sensación de impotencia para ofrecer ayuda es una de las cosas más difíciles que los padres y los amigos de los consumidores de drogas deben afrontar y, quizá necesite usted bastante ayuda y apoyo para aceptar y vivir con la naturaleza, a largo plazo, de algunas drogas y de los problemas relacionados con ellas. En el siguiente capítulo conoceremos formas de ayudar a su hijo y a usted mismo a largo plazo.

8

Medidas a largo plazo

Ha averiguado que su hijo ha estado implicado en el consumo de drogas. La estupefacción inicial ha pasado y, quizá, con la ayuda de un médico o un consejero ha empezado a valorar la extensión del problema. Es en esta etapa en la que quizá deba afrontar el hecho de que el consumo de drogas de su hijo o, como mínimo, los problemas que llevan a eso y que se encuentran a su alrededor, podrían estar ahí durante mucho tiempo.

Quizá su hijo no quiera admitir que tiene un problema. Quizá no quiera dejar de consumir drogas o, como se ha vuelto física o psicológicamente dependiente, sea incapaz de hacerlo, incluso aunque quiera. Quizá le haya prometido que se mantendrá apartado de las drogas de ahora en adelante, pero quizá no pueda confiar en que cumpla esa promesa. Para muchos padres y sus hijos existe un tormentoso y difícil periodo de ajustes antes de que se pueda volver a reconstruir la aceptación y la confianza. La experiencia de los padres de Michael, explicada por su madre Carol, ilustra esto claramente:

«Quedamos destrozados cuando averiguamos que Michael había estado fumando cannabis regularmente y había consumido otras drogas, a veces incluso drogas duras, como la heroína, cuando él y sus compañeros se la podían permitir. Sólo tenía 16 años, pero vivimos en un gran pueblo y siempre había tenido amigos cerca y pasaba mucho tiempo con ellos, así que no nos dimos cuenta de los síntomas de que algo fuera mal hasta que las drogas se convirtieron en un hábito. Las cosas fueron muy mal en casa durante algún tiempo después de que lo averiguáramos, pero cuando las lágrimas y los gritos por ambos lados pasaron, y nos prometió que se apartaría de las drogas de ese momento en adelante, creímos de verdad que lo había dejado. No nos dimos cuenta de lo importante que todo esto se había vuelto para él y lo difícil que le resultaría resistir la tentación de unirse a sus amigos cuando estuvieran fumando y tuviera dinero en el bolsillo. No pasó mucho tiempo hasta que sospechamos que volvía a consumir drogas. Le encarábamos y él se enfadaba y nos acusaba por no confiar en él, o salía corriendo de casa. No volvía hasta tarde y nosotros telefoneábamos a sus amigos intentando encontrarle, lo que hizo que se enfureciera todavía más. La preocupación y las discusiones nos hacían sentir muy desgraciados a todos: a veces parecía como si no pensáramos en nada más, pero no podíamos hablar con nuestros amigos ni nuestra familia sobre ello: estábamos muy avergonzados. Mirábamos a Michael todo el tiempo preguntándonos: "¿Ha tomado hoy?", "¿A dónde va esta noche?". Mirando atrás, seguro que la tensión que debió soportar fue terrible, además de nuestra preocupación.

Me deprimí tanto que acudí a mi médico para obtener ayuda, y me remitió a una asesora de nuestro hospital local que formaba parte del equipo de drogas de la comunidad. Comprendió cómo me sentía, pero me explicó lo difícil que era, para alguien que se había acostumbrado al consumo de drogas, dejarlas. Dijo que era normal que llevara mucho tiempo para un consumidor poder dejarlo, y que casi siempre debían experimentar varios intentos y recaídas antes de tener éxito. Dijo que debíamos aceptar que no podíamos hacer que Michael dejara de tomar drogas, sino que debía ser él quien quisiera dejar de hacerlo. Empecé a darme cuenta de que la presión y las discusiones estaban haciendo, de hecho, que a Michael le resultara más duro dejarlo: necesitaba las drogas para escapar del estrés y de la rabia que sentía y por el miedo de que no pudiera volver a enfrentarse a la vida sin ellas. Su padre y yo hablamos sobre todo esto y decidimos que habíamos estado pidiendo demasiado a Michael y a nosotros mismos. Nos hicimos responsables de su consumo de drogas y nos preocupábamos todo el rato de que si no le vigilábamos constantemente volvería a estar como antes. En lugar de ello, hablamos con Michael y acordamos algunas normas básicas: nos diría a dónde iba y a qué hora volvería, y no telefonearíamos a sus amigos para tenerle localizado, por ejemplo. Le dijimos que comprendíamos lo difícil que era para él dejar de consumir drogas cuando la mayoría de sus amigos las seguían tomando, y que estábamos impresionados por lo bien que lo había hecho hasta el momento, incluso aunque no siempre lograra vencer la tentación. También le dijimos que una de las asesoras del hospital le vería siempre que necesitara ayuda y escribimos su número en la agenda de teléfonos, al lado del teléfono y, aunque no lo dijo, creo que vio a alguien en el hospital.

Las cosas no mejoraron de un día para otro, pero llegados a esta etapa, no esperamos que lo hicieran. A pesar de todo, Michael parecía más feliz, empezó a apartarse de sus viejos amigos y se apuntó a un club de ciclismo de montaña que inició sus actividades en el club juvenil local. Su padre le pagó un poco por ayudar a construir un patio en nuestro jardín a lo largo de algunos fines de semana, y le ayudó a encontrar un par de trabajos temporales cortando el césped y lavando coches. Al principio nos preocupamos porque pudiera gastarse el dinero en drogas, pero a él le pareció más importante porque se lo había ganado y abrió una cuenta en una *sociedad de crédito hipotecario* y ahorró la mayor parte para comprarse una nueva bicicleta. Creo que, más o menos, ha superado lo de las drogas, y estoy segura de que lo mejor que hicimos para ayudarle fue no meternos en su camino sometiéndole a él (y a nosotros mismos) a demasiada presión. No fuimos realistas al pensar que todo se solucionaría en una semana o dos, tal y como hicimos al principio: ha llevado casi un año llegar tan lejos; pero ahora confío mucho más en la capacidad de Michael de manejar sus propios problemas, que es lo que cualquier padre quiere realmente para su hijo.»

Vivir con alguien que consume drogas es duro para todos, pero lo es el doble para un padre que tiene que hacer frente a la preocupación adicional de que él es, en cierta manera, responsable de los problemas de su hijo, que han errado de algún modo durante la infancia del joven, o que le están fallando ahora por no poder evitar que se drogue. No es fácil aceptar que no puede controlar ni cambiar la situación, pero hay maneras en las que puede ayudar a su hijo, incluso aunque no pueda hacer que el problema se resuelva de inmediato.

Dejarlo

La dificultad de acabar con una dependencia de las drogas ya asentada nunca debería ser subestimada, y es perfectamente normal para alguien que parezca totalmente dispuesto a dejar su hábito tener varias recaídas antes de dejarlas totalmente. Esto es algo difícil de manejar para la persona dependiente, y puede provocar inmensos problemas a aquellos que están a su lado, que encontrarán muy difícil comprender sus recaídas y que se sentirán personalmente traicionadas, cuando vuelva a caer en su consumo. Vale la pena recordar los siguientes aspectos:
• El consumidor sólo conseguirá dejar las drogas cuando lo quiera hacer de verdad por sí mismo. Esto no significa que no se preocupe por los efectos que su consumo tenga sobre aquellos que están a su alrededor, pero, en definitiva, eso no es suficiente para llevar a cabo el enorme esfuerzo que hace posible acabar

con la dependencia. Sólo conseguirá una vida libre de drogas si eso es lo que verdaderamente quiere para él.

• Someter al consumidor a presión para que deje su hábito antes de que esté preparado puede, de hecho, prolongar su consumo de drogas. No tiene por qué hacer ver que está contento con la situación, pero hacer que su vida sea desgraciada con constantes escenas melodramáticas y acusaciones de que está arruinando su vida le harán sentir tan mal que sólo podrá escapar de su depresión y su ansiedad tomando más drogas.

• Dejar un hábito a las drogas es un proceso largo. Cuando tropiece, como seguramente sucederá, su confianza en su propia habilidad para arreglárselas sin ellas recibirá un duro golpe. Necesitará apoyo y ánimos para intentarlo de nuevo, y no acusaciones de no intentarlo o el asumir su fracaso.

• Los consumidores de drogas someten a aquellos que se preocupan por ellos a situaciones insoportables. Cuando uno se preocupa por alguien, no quiere verle sufrir, pero debe evitar hacer cualquier cosa que permita que el consumidor escape de las consecuencias de su consumo de drogas. Como dice un experto asesor en el tema: «No se esfuerce demasiado para intentar mantener a su hijo alejado de los problemas. A veces es necesario que toque fondo y se dé unos revolcones durante un rato antes de que se dé cuenta de que no es ahí donde quiere estar».

• No pierda usted de vista sus propias necesidades. Sacrificar su felicidad y su bienestar para cuidar de un niño dependiente que no contribuye en nada a la familia no le hará ningún bien. Puede que su hijo no pueda dejar de consumir drogas durante un tiempo, pero su dependencia no debería convertirse en una excusa para un mal comportamiento. Fijen unos límites que deberá respetar: debe prometer no robarle ni pedirle dinero para financiar su hábito, no abusar de ni hacer daño a los miembros de la familia mientras esté bajo el efecto de las drogas o la bebida, e ir a ver a un asesor regularmente, por ejemplo. Déjele claro que sólo podrá quedarse en casa si mantiene el trato.

Tratamiento para la adicción

Existen varios modos de enfrentarse a una adicción asentada y, una vez el afectado haya decidido que esto es lo que quiere hacer, deberá hablar sobre las alternativas con un asesor experimentado en el tema de las drogas o con un médico, para así decidir cuál será el mejor para él. Las principales alternativas son las siguientes:

Tomar únicamente fármacos recetados

Algunos de los peligros del abuso de las drogas surgen por la naturaleza ilegal de las mismas (adulteración con otras sustancias, pureza y potencia variables, la administración de la sustancia por medios para los cuales no fue ideada) y la presión de tener que financiar, mediante medios dudosos, lo que pronto se convierte en un hábito muy caro. Estos peligros pueden ser superados en gran medida si el consumidor busca ayuda médica para superar su adicción y se le recetan fármacos sustitutivos de la droga a la que está enganchado: un enfoque que se toma, fundamentalmente, con los opiáceos. El objetivo de estos programas de mantenimiento es el de estabilizar el hábito del consumidor hasta que llegue el momento de embarcarse en un programa de reducción de la dosis o de desintoxicación y, mientras tanto se le ofrecerá ayuda psiquiátrica y/o psicológica.

Programas de reducción

Junto con un médico o asesor, el consumidor puede decidir reducir la dosis de la droga que estaba tomando o del fármaco sustitutivo en pasos ya programados, hasta que llegue a un punto en que pueda dejarla totalmente con unos síntomas desagradables de abstinencia mínimos. Es importante que reciba asesoramiento y apoyo durante todo el programa, y que se sienta capaz de volver a ver a su médico y a su asesor para renegociar las reducciones si encuentra muy difícil respetarlas o no logra conseguir el objetivo en el tiempo que pactaron.

Desintoxicación en un centro

La desintoxicación implica la completa retirada de la droga para que sea eliminada totalmente del cuerpo y se reviertan los efectos físicos de la dependencia. No obstante, hay algunos centros de desintoxicación, en los que los pacientes pueden desintoxicarse bajo supervisión médica y con la ayuda de fármacos que minimicen el malestar que la retirada de la droga inevitablemente provoca. El peor de los efectos probablemente se presente al cabo de unos pocos días, pero la persona que se está desintoxicando puede sentirse enferma durante bastante tiempo después de esto y no sentirse realmente bien hasta que pasen, más o menos, seis meses.

Desintoxicación en casa, con o sin ayuda médica

Es posible desintoxicarse en casa, ya sea con la supervisión de un médico o sin ayuda médica (aunque esta última opción no sería muy inteligente si ha habido un consumo de drogas duras durante mucho tiempo). Es importante que el consumidor tenga cerca a alguien que sepa qué se puede esperar y que pueda tenerle vigilado, ya que puede ponerse bastante enfermo y estar muy desorientado durante algún tiempo.

Rehabilitación

Aunque la desintoxicación pueda parecer la respuesta a la dependencia a las drogas, en realidad sólo supone el inicio del proceso de recuperación. Aunque la droga es frecuentemente el centro de la preocupación para el adicto y para su familia, es importante recordar que no es, en sí misma, el problema, sino la forma que tiene el consumidor de superarlo. A no ser que tratemos y resolvamos los factores psicológicos que hacen que el abuso de las drogas resulte atractivo, habrá, inevitablemente, una recaída o un paso hacia alguna otra forma de dependencia. La droga sólo es la punta del iceberg.

Alguien que haya aprendido a usar las drogas de este modo necesitará mucha ayuda y apoyo de forma continuada si quiere encontrar nuevas formas de superar su adicción. Hazel, cuyo hijo Adam, de 20 años, dejó de consumir opiáceos después de tres años de dependencia, se encontró con que su alivio duró poco:

«Durante mucho tiempo, siempre que me despertaba me llenaba la convicción de que si, sencillamente, él podía dejar de tomar drogas, todo iría bien. Sentía que podíamos hacer frente a cualquier cosa sólo si no teníamos esta constante preocupación por saber dónde estaba, qué hacía, de dónde sacaba el dinero para comprar las drogas, etc. Tres semanas después de su desintoxicación, me encontré pensando que, después de todo, podría haber resultado más fácil si hubiera seguido consumiendo drogas.

Fue una pesadilla: se sentía enfermo todo el tiempo, tenía los nervios a flor de piel y era un infierno vivir con él. La peor cosa es que obtener y consumir drogas se había convertido en una parte tan importante de su vida que parecía, de verdad, perdido sin ellas. Vagaba sin objetivos, quejándose de lo enfermo que se sentía e irritándose con todos o deprimiéndose. Necesitaba muchas atenciones: no podía dormir y se despertaba por la noche, tropezando por la cocina, o encendía la televisión, despertando a todo el mundo, ya que quería que la gente estuviera pendiente de él. Realmente no esperábamos nada de esto: supongo que, simplemente, pensamos que dejaría de tomar drogas y que, a partir de ese momento, las cosas volverían a la normalidad.

Todos necesitábamos mucho apoyo para superar esa época difícil y, afortunadamente los encontramos en una terapia de grupo de familias con este problema. Adam se tranquilizó y empezó a descubrir formas de manejar sus sentimientos con la ayuda de un asesor, pero creo que le llevó cuatro o cinco meses antes de empezar a sentir verdaderamente que volvía a tener los pies sobre el suelo. No comprendíamos la profundidad de su problema: sólo vimos las consecuencias del consumo de drogas y no las razones para ello. Estoy seguro que lo mismo le sucede a muchas familias.»

Cualquier cosa que ayude al exconsumidor a asentar una nueva forma de vida sin las drogas le ayudará en su rehabilitación. Tal y como averiguó Adam, parte del problema consistirá sencillamente en llenar el vacío dejado por el trabajo de conseguir y consumir las drogas. Para muchas personas dependientes, esto lleva una gran proporción de sus horas de vigilia, y el efecto de dejarlo es muy similar al de la jubilación en alguien que ha trabajado día tras día durante toda su vida. Si puede ayudarle a llenar ese vacío con alguna actividad interesante, habrá dado un gran paso para mantenerle apartado del futuro consumo de drogas.

El asesoramiento y cualquier otra forma de terapia también pueden ser útiles para llegar a comprender el problema y adoptar una actitud positiva ante los problemas que llevan, en primer lugar, al consumo de drogas. La necesidad de ayuda no acaba sólo porque se haya abandonado su consumo: de hecho, puede que sea mayor que nunca.

Rehabilitación en una residencia

Existen algunos centros de rehabilitación en una residencia. El enfoque varía, pero la mayoría pide que el residente no consuma drogas al ingresar. El principio de este enfoque es el de ayudar al residente a tener un nuevo modo de vida sin drogas. Algunos darán a este problema un enfoque religioso, otros basarán su enfoque en métodos conductivistas, cognoscitivistas o psicoanalíticos, y muchos usarán variedad de métodos de apoyo grupal e individual para ayudar a los residentes a lograr una vida sin drogas. Como sería el caso de una terapia individual con apoyo de un acompañante terapéutico.

La mayoría de las personas que toma este camino pasan entre un año y 18 meses en la rehabilitación en la residencia, aunque algunos centros ofrecen programas más cortos, respaldados por un apoyo no residencial y continuo para el usuario y su familia. El coste puede ser cubierto por la seguridad social, la autoridad local, los servicios de libertad condicional, la beneficencia, o por una combinación de ellos, aunque algunos centros cobran unas tasas a los residentes o a sus familias.

No se rinda

Una adicción ya asentada a las drogas puede ser verdaderamente difícil de romper. Frecuentemente habrá muchas decepciones antes de que el consumidor pueda realizar el ajuste permanente para una vida libre de drogas, pero, con el tipo de ayuda adecuada, la mayoría acabará por lograrlo: frecuentemente porque, sencillamente, han superado su necesidad de las drogas. Algunas personas dependientes, especialmente los consumidores de opiáceos, consiguen llevar una vida bastante normal a pesar de su dependencia mientras van solucionando sus problemas: especialmente cuando se les mantiene a base de sustitutivos recetados.

Si usted vive con alguien que toma drogas o cuida de él, es fácil que se olvide de sus propias necesidades y se centre únicamente en los problemas del otro, pero es de vital importancia que usted obtenga ayuda y apoyo para sí, y no sólo para el consumidor, de un asesor o un grupo de apoyo. A largo plazo, ayudarse a uno mismo también ayudará a su hijo.

¿Debería cambiar a mi hijo de escuela?

Es especialmente difícil para un niño decir «No» a las drogas cuando todos sus amigos las consumen, y en algunas zonas y escuelas el consumo de drogas puede ser prácticamente la norma. Como uno de los factores que lleva al consumo de drogas entre los niños es, sencillamente, la exposición a ellas y su disponibilidad, escoger cuidadosamente el colegio de su hijo podría ser un factor importante para protegerle de este contacto. Cuando busque escuelas locales de secundaria para él, además de las preguntas sobre los porcentajes de aprobados en los exámenes y las instalaciones, tiene sentido preguntar sobre la política de la escuela respecto a la educación sobre las drogas y su actuación en cuanto a este punto.

La situación es más difícil si su hijo ya ha empezado a ir a la escuela y se ha dado cuenta de que allí las drogas están disponibles, o ya las ha probado. Sacar a un niño del colegio y volver a empezar en otro es un paso difícil y frecuentemente no gusta nada al niño afectado. Vale la pena hablar, en primer lugar, con la escuela sobre sus preocupaciones. Ciertamente, me mostraría más inclinada a escoger una escuela que mostrara su capacidad para tratar los problemas relacionados con las drogas de forma eficaz cuando surgieran, que inscribir a mi hijo en un colegio que no reconozca que las drogas podrían ser un problema en el interior de sus instalaciones. Es un hecho triste saber que todas las escuelas tendrán algunos alumnos que estarán implicados en el tema de las drogas, sin importar lo que quisieran creer los padres y el personal, y no llevará mucho tiempo a todos los alumnos saber quiénes son y qué consumen. El hecho de que su hijo le transmita esta información, además de proporcionarle una buena oportunidad para hablar sobre los riesgos que conlleva el consumo de drogas, no debería provocarle un pánico excesivo.

¿Deberíamos cambiar de casa?

Las estadísticas sobre el nivel de disponibilidad y de abuso de drogas entre los jóvenes muestran una gran variabilidad regional, existiendo algunas zonas, e incluso poblaciones concretas que son muy conocidas por ser «puntos negros» para este consumo, y en los cuales el riesgo de que un joven se encuentre con las drogas y las pruebe es mucho mayor que la media nacional. La mayoría de los padres que viven en tales zonas desearían que éste no fuera el caso, pero no siempre es posible mudarse y sacar a la familia de su entorno normal, para colocarla en medio de una comunidad en la cual no tiene un lugar asignado. Esto puede provocar más problemas que soluciones.

71

Los factores que hacen que el abuso de las drogas sea más posible en algunas zonas que en otras no se limitan simplemente a su fácil disponibilidad y a la influencia de los amigos. El consumo de drogas depende de todo tipo de factores sociales: desempleo, malas viviendas, instalaciones para diversión pobres o inexistentes y muchas otras deficiencias que pueden conducir a una situación en la que la comunidad se deprima y no tenga esperanzas en el futuro. Los jóvenes se ven afectados por esto del mismo modo que cualquier otra persona, y el resultado es un aumento del consumo de droga y, frecuentemente, un aumento correlacionado de los delitos. Los padres pueden ayudar a proteger a sus hijos de estas deprimentes influencias a nivel individual y comunitario proporcionándoles actividades que les ofrezcan algo por lo que esforzarse (los grupos de deportes y los de actividades juveniles son especialmente buenos para esto) y animándoles a sentir que tienen una contribución que hacer a su escuela, su comunidad y a su futuro.

En las zonas en las que las drogas suponen una gran preocupación para los padres, puede ser de gran ayuda que se unan formando un grupo y que decidan qué van a hacer para proteger a sus hijos. Positive Prevention Plus es una asociación benéfica que se dedica a potenciar la atención de la comunidad y la prevención de los problemas relacionados con la droga entre los jóvenes, y ha desarrollado un sistema efectivo de talleres para ayudar a los padres a informar y a proteger a sus hijos. Estos talleres pueden ser dirigidos por todo tipo de entidades locales: asociaciones de padres y profesores de alumnos, parroquias, centros de la comunidad o, sencillamente, por grupos de padres interesados; y pueden proporcionar a los padres la confianza y la información que necesitan para ayudar a que sus hijos eviten los problemas de drogas.

Cuando una comunidad se une para proteger su bien más precioso (sus niños), se pueden obtener enormes beneficios de los sentimientos positivos que genera la acción de la comunidad, no sólo para los niños, sino para todos.

Vivir con preocupación y sospechas y recuperar la confianza

Incluso cuando el contacto de un niño con las drogas ha sido relativamente pequeño y transitorio, puede dejar a los padres preocupados y con desconfianza.

Es como si descubriera que su hijo no es la persona que pensaba que era: ya no es un niño inocente, sino un adolescente astuto que puede meterse en todo tipo de asuntos sucios si no se le vigila constantemente. Su hijo también puede tener la sensación de que los límites han cambiado, de que usted ya no confía en él y que se espera de él que haga lo peor, y ya no lo mejor, en cualquier situación. Tal y como vimos en la historia de Michael, esto puede someter a una gran tensión a todos los implicados.

En este caso, es importante que los padres y los hijos renegocien los límites y las normas de la vida familiar. Ambas partes deben examinar y redefinir las expectativas, y todos deben llegar al acuerdo de un trato factible. Esto no es tan complicado como parece. Debe saber, por ejemplo, que su hijo siempre le hará saber a dónde va y cuándo volverá a casa, y que respetará el acuerdo a no ser que se hayan contemplado disposiciones especiales. Necesita saber que usted confía en él y en que él respetará estas condiciones, y que se implicará en cualquier decisión sobre los asuntos que le afecten. También necesita saber que puede contar con usted para que le preste ayuda si se mete en una situación con la que no se siente feliz, sin temer recriminaciones o que usted le culpabilice. El cómo llegar a esto es un asunto de negociaciones entre usted, su hijo y el resto de la familia.

Ya es suficientemente duro ver que el hijo se va haciendo independiente, pero esto se convierte en algo mucho más difícil si las expectativas no se comentan y no se definen unos límites. Puede proporcionar a sus hijos una posibilidad bastante mejor de cumplir sus expectativas (y usted las de él), si todos tienen claro, en primer lugar, en qué consisten esas expectativas. Por supuesto, habrá ocasiones en las que uno de los dos decepcionará al otro, pero si tienen todos claro lo que de verdad es importante en su familia, será mucho menos probable que estos errores impliquen a las cosas verdaderamente importantes que pueden afectar al futuro de su hijo, su salud, o su relación a largo plazo.

Limitación de los daños

Si su hijo no puede o no está dispuesto a dejar las drogas, usted puede, como mínimo, ayudarle a asegurarse de consumirlas de la forma más segura posible. Para algunos padres, esto puede parecer como admitir una derrota, ya que, como es normal, quieren que una situación tal finalice, pero existen momentos en los que los padres deben aceptar que esto no va a suceder, por lo menos por el momento. La ayuda profesional es de especial importancia en los casos de un consumo de drogas prolongado, sobre todo en el caso de las drogas y los métodos de administración más peligrosos. Los centros citados en el anterior capítulo podrán ayudarle en este terreno proporcionándole un asesoramiento, consejos, programas de reducción y, a veces, sustitutivos más seguros de las drogas que se encuentran en la calle, y el intercambio de agujas y jeringas para aquellos consumidores que se inyectan.

Puede que su hijo rehúse buscar o aceptar ayuda profesional, quizá porque tema que le harán dejar de tomar drogas y no se sienta preparado para ello. Esto no sucederá. Los programas de reducción y de desintoxicación son un asunto de negociación entre el consumidor y el profesional que les ofrece su ayuda, y que sabe muy bien que nadie dejará de tomar drogas hasta que esté preparado para hacerlo. Sin embargo, si su hijo no quiere obtener ayuda puede usted, como mínimo, asegurarse de que esté bien informado sobre los peligros potenciales del consumo de drogas y sobre formas de hacerlo de forma más segura. Entre ellas se encuentran las siguientes:

- Los efectos de cada droga, su potencial adictivo en sus varias formas y sus posibles efectos secundarios (véase el capítulo 10).
- Los peligros del consumo de droga adulterada comprada en la calle (véanse las páginas 66-67 y el capítulo 10) y la existencia, en algunos casos, de sustitutivos más seguros que se adquieren con receta y que forman parte de un programa de tratamiento (véase la página 66).
- Los especiales peligros de la inyección (véase la página 20).
- La existencia de programas de intercambio de agujas y jeringas, y la correcta limpieza y uso del material para inyectarse (la información puede obtenerse en los centros y en las organizaciones citadas).

Aunque puede que usted deba aceptar que no puede evitar que su hijo consuma drogas, no tiene por qué disimular que le desagrada y, por supuesto, no debe asumir la responsabilidad de su decisión para seguir tomándolas. Esto puede implicar que deba tomar decisiones muy duras. Si su hijo viene a casa bajo el efecto de las drogas y pierde el conocimiento en la sala de estar, ¿le sube a su habitación o le deja en la posición de defensa hasta que se despierte, frío y tenso, de madrugada? ¿Va corriendo a la comisaría y paga la fianza para sacarle después de que le hayan pillado borracho, una vez más, después de una fiesta, o le deja allí una noche para que piense? ¿Se inventa excusas para su hija cuando está demasiado «colgada» y no va al colegio o al trabajo, o deja que sea ella quien arregle por su cuenta estos temas? Por último, ¿permite que su hijo viva en casa y a sus expensas cuando su comportamiento relacionado con las drogas hace que la vida sea insoportable para el resto de la familia, o le dice que o mejora su comportamiento o se tendrá que ir?

Antes de que un consumidor habitual de drogas pueda pasar de consumirlas a adoptar formas más maduras de enfrentarse a la vida, debe aceptar la responsabilidad de sus propios actos y de su comportamiento. Esto no significa que no necesite ayuda (puede que la necesite muchísimo), pero tampoco necesita el tipo de ayuda que le permita evitar dar la cara ante los efectos que su consumo de drogas está teniendo en él y en las personas que están a su alrededor, fomentando de lo contrario una dependencia con usted que perjudica a su hijo. Es especialmente duro para los padres, que han estado toda la vida protegiendo a su hijo de las situaciones que le pueden provocar sufrimiento o dolor, ver cómo se mete en situaciones como las descritas anteriormente sin mover un dedo para «rescatarle», pero es demasiado fácil hacer que el consumo de drogas de su hijo se prolongue si le escuda de las consecuencias más duras. Probablemente usted necesitará mucho apoyo y asesoramiento si las cosas llegan a este punto, así que no intente hacerlo solo: póngase en contacto con uno de los centros de apoyo mencionados en el capítulo 7.

Un resultado positivo

Como hemos visto, puede que no exista una solución inmediata a los problemas familiares relacionados con el consumo de drogas. Puede que conlleve una gran paciencia e inventiva, por parte de los padres, el hecho simple de evitar que la situación empeore, pero al final incluso las situaciones que parecen más negativas pueden eventualmente tener un resultado positivo, tal y como nos muestra la historia de Helen.

Alan, que nos explica a continuación la historia de Helen, es policía. Él y su mujer, Sandra, tienen dos hijos: Helen, que ahora tiene 22 años, y David, que es dos años menor. Los problemas con Helen comenzaron cuando tenía 17 años.

«Empezó a salir con su novio Derek (bien, en realidad era un hombre joven, pues tenía cuatro años más que ella). Derek era la pesadilla de cualquier padre: con el cabello largo y grasiento, mal vestido, sin trabajo (ya os podéis hacer una idea), pero ella estaba completamente enamorada de él. Helen había sido una gran muchacha hasta ese momento, una adolescente normal, por supuesto, pero no había tenido problemas serios. Cuando salían, ella volvía a casa tarde y, obviamente, todavía más tarde si había estado bebiendo, y sospechamos que estaba tomando drogas. Desde el primer momento tomamos la decisión de ser honestos con nuestros hijos. Incluso cuando eran bebés, un pato era un pato, y no un "cuá-cuá", y un gato era un gato (quizá un minino, pero un gato, en definitiva). Cuando llegó el momento adoptamos el mismo enfoque con temas como el sexo y las drogas: les contamos la verdad, con un vocabulario que ellos pudieran comprender a esas edades. Ella conocía los peligros de las drogas y el alcohol, pero su novio era tan importante para ella que, obviamente, pensó que valía la pena asumir algunos riesgos para así poder ser parte de su vida.

No pasó mucho tiempo hasta que nos dijo que se iba a ir de casa y que se iba a vivir con él. Sandra y yo estábamos aterrorizados y, por supuesto, intentamos persuadirla de que no era una buena idea, que debía esperar un poco más y ver qué sentimientos tenía. No obstante, se mostró firme, y pronto pudimos ver que no íbamos a disuadirla. Pasamos mucho tiempo hablando sobre esta situación, y al final decidimos que, como nada de lo que pudiéramos hacer iba a hacerla cambiar de parecer, lo mejor sería estar ahí por si alguna vez nos necesitaba. No fue fácil, pero le dijimos que comprendíamos que ella había tomado una decisión, pero que siempre había una habitación en casa para ella si la necesitaba y que queríamos que se mantuviera en contacto.

Los siguientes cuatro años fueron una pesadilla. Derek consumía mucho alcohol y drogas, y no trabajaba. Helen mantenía el hogar y, obviamente, también estaba implicada en el tema de las drogas, aunque nunca tuvo tanta dependencia como Derek. Adelgazó y parecía siempre cansada. No sólo trabajaba, sino que ella era la única que cocinaba, limpiaba, hacía la compra y todo lo demás (Derek nunca movió un dedo en las tareas domésticas). Fue una época terrible para nosotros dos, aunque fue peor para Sandra. Como oficial de policía sabía lo mal que se podían poner las cosas (ves de todo en el cuerpo de policía), pero ella no sabía que la gente viviera de ese modo. A pesar de todo, conseguimos mantener una relación aceptable con Helen. No le dimos sermones sobre su modo de vida, e incluso conseguimos mordernos la lengua respecto a Derek, y ella continuó viéndonos regularmente. De igual modo, no hubiera podido seguir así para siempre, y al final empezaron a mostrarse las primeras grietas.

Seguro que fue duro para ella, pero después de cuatro años con él le dejó y volvió a casa. Eso sucedió hace un año, y los detalles de su vida en común sólo están empezando a salir: la bebida, las drogas, la forma en que la trataba. Estoy esperando que en cualquier momento nos cuente historias del tipo *menage a trois*. Estoy seguro que algo de eso habrá sucedido. Ahora no bebe mucho ni toma drogas: fue algo que hizo, sencillamente, para encajar. Estoy contento de que tuviera el sentido común para evitar acabar siendo adicta a algo y que tuviera la fuerza de carácter como para usar sustancias como el alcohol o las drogas por un tiempo y luego dejarlas. Hemos conseguido no decir nunca: «te lo dije», incluso aunque hubiera sido fácil hacerlo, y nos sentimos muy aliviados por haberle proporcionado el espacio para darse cuenta de que había cometido un error y alejarse de esa situación antes de que fuera demasiado tarde. Nuestra única lástima (y también de ella) es que se perdiera esos años de la adolescencia, cuando debería haber estado divirtiéndose y aprendiendo cosas sobre la vida: pasó esos años trabajando hasta la extenuación para Derek. Por otro lado, su hermano David, que supo prácticamente todo lo que había pasado, ha aprendido mucho de los errores de ella. Ha podido apreciar, de primera mano, los daños que puede provocar ese ritmo de vida, y no creo que él quiera cometer esos mismos errores. Sandra y yo creemos que tomamos las decisiones correctas dadas las difíciles circunstancias, y estamos contentos de que fuéramos capaces de mantenerlas: al final dio sus resultados.»

9

Las drogas y la ley

Sustancias no clasificadas

Algunas sustancias, como los disolventes y el nitrito de butilo, que son sustancias que pueden ser objeto de abuso, no están clasificados como drogas, y por tanto no están cubiertos por las previsiones de la Ley sobre el Abuso de Drogas y sus apéndices. En el caso de los disolventes, se ha presentado una ley para hacer que resulte ilegal venderlos a cualquier persona menor de 16 años, sabiendo o sospechando que puedan ser usados con el propósito de su inhalación.

¿Está mi hijo haciendo algo ilegal?

Si su hijo ha experimentado con drogas controladas, es probable que haya cometido un delito, aunque en la práctica es bastante improbable que un niño o un adolescente que haya tenido una breve experiencia con las drogas acabe siendo fichado. Cualquiera que posea, suministre, produzca, trafique, importe o exporte una droga controlada puede estar yendo en contra de la ley. Los delitos de posesión y suministro son los que imputarán, más probablemente, a un joven que esté experimentando con las drogas, y es importante que usted y su hijo sepan dónde queda la línea divisoria entre posesión y suministro, ya que tanto la posibilidad de ser llevado a juicio y la posible multa son bastante peores si suministra drogas en lugar de poseerlas sólo para su consumo personal.

Posesión

Las drogas no tienen por qué estar físicamente en tu posesión (es decir, en tu bolsillo o tu bolso) para que hayas cometido el delito de posesión. Dejar drogas en algún lugar para pasar a recogerlas después (por ejemplo debajo del colchón o en casa de un amigo) también hace culpable de posesión. Por otro lado, alguien que lleve una droga que fuera ilegal que poseyera, a alguien que sí pueda consumirla (por ejemplo, ir a recoger el tranquilizante recetado de tu abuelo a la farmacia) no es un delito. Un padre que encuentre una sustancia en la habitación de su hijo y que la lleve a la policía no estaría cometiendo el delito de posesión, y lo mismo se aplicaría a un maestro que confisque las drogas a un alumno para su destrucción.

Lo que resulta raro es que la ley permite que una persona sea acusada del delito de posesión por tener algo que se crea es una droga controlada, incluso si tras su análisis resulta tratarse de otra sustancia. Si un quinceañero compra una sustancia en una discoteca y le dicen que es cocaína, y al ser detenido por la policía «admite» que se trata de cocaína, pero más tarde resulta ser otra droga o, incluso, una sustancia inocua, puede seguir siendo acusado por la posesión de cocaína porque él creyó que eso era lo que llevaba.

Estar en el mismo lugar que personas que consumen drogas, incluso sabiéndolo, no es suficiente para ser acusado del delito de posesión, pero un grupo de personas que esté compartiendo un mismo suministro de droga (pasarse un porro de cannabis en una fiesta, por ejemplo) puede ser culpable (todas las personas) del delito de posesión.

El delito de posesión puede haberse cometido incluso si la cantidad de droga es tan pequeña como para que no resulte posible su consumo, aunque puede ser difícil mantener en pie un juicio que implique el hallazgo de meras trazas de droga. No obstante, las trazas halladas en la sangre o la orina no pueden ser utilizadas como prueba para una acusación de posesión.

Tráfico

El suministro o tráfico de drogas es considerado un delito mucho más grave que la posesión, y es toda una sorpresa para muchas personas saber que, de hecho, no es necesario vender drogas a nadie para poder ser acusado del delito de tráfico.

Con drogas como el cannabis, que tienen precios al alcance de cualquier bolsillo, muchos jóvenes las comparten con sus amigos. Incluso dar a un amigo unas pocas caladas de porro podría considerarse como tráfico, y darle una cantidad suficiente como para que se haga sus propios porros, incluso aunque no se solicite ni se reciba dinero, dejará al que ofrece esta sustancia expuesto a cargos delictivos. Devolver a un amigo drogas que le han sido dejadas a usted para que las guardara en un lugar seguro también se considera tráfico.

La posesión con la intención de traficar es un cargo común. Si la cantidad de droga hallada en posesión de una persona es, obviamente, demasiado grande para el mero consumo personal, se entenderá que la cantidad sobrante se tendrá con la intención de suministrarla a otros. Si una persona se encarga de comprar drogas para un grupo de personas que le dan dinero para que las adquiera, se seguirá considerando que él la suminista a estas personas, incluso aunque esté comprando las drogas para su uso personal y con el dinero de ellos.

Otros delitos

La producción de drogas controladas, aunque no es de por sí un delito específico, puede ser perseguido por las leyes de tráfico de drogas o puede ser considerada como un delito menos grave, dependiendo de las circunstancias. Cultivar cannabis es un delito, al igual que lo es el cultivo de setas alucinógenas (mágicas) con el propósito de consumir la psilocibina, que es la sustancia alucinógena que contienen.

Importación y exportación

La importación y exportación de drogas es contemplada por una legislación complicada, diseñada principalmente para evitar que se trasladen grandes cantidades de ellas de un país a otro con fines comerciales. Llevar drogas controladas por una aduana es, obviamente, algo poco inteligente, y dará como resultado que le procesen si lo capturan. Lo que resulta menos obvio es que alguien que reciba un paquete de un amigo del extranjero que contenga droga, incluso aunque el receptor no supiera que se lo iban a enviar, podría ser acusado de importar drogas si las conservara en su poder. Lo más seguro que se puede hacer para evitar ser procesado en tales circunstancias sería destruir las drogas de inmediato.

Utensilios para el consumo de drogas

La posesión de utensilios para el consumo de drogas no es ilegal, aunque su suministro y distribución pueden serlo. La presencia de tales utensilios podría ser utilizada, junto con otras pruebas, para apoyar un procesamiento por un delito relacionado con las drogas.

¿Qué sucederá si pillan a mi hijo?

La ley trata a los niños de forma distinta a los adultos, y el grado hasta el cual se puede asumir legalmente que un niño puede ser considerado responsable de sus actos varía según su edad. Cualquier persona menor de 17 años es legalmente definido como un joven, y dentro de esta categoría los niños se dividen en tres grupos de edad distintos en relación con los fines de procesamiento y sentencias.

• *Menor de 10 años*

Un niño menor de 10 años no puede ser considerado culpable de ningún delito, y es inmune al procesamiento. No obstante, si un niño perteneciente a este grupo de edad va persistentemente en contra de la ley, puede ser llevado a los servicios sociales locales.

• *Entre 10 y 14 años*

Un niño perteneciente a este grupo de edad puede ser juzgado y hallado culpable de un delito, aunque debe demostrarse que sabía que estaba haciendo algo incorrecto. Aunque se le puede considerar culpable de la mayoría de los mismos delitos que un adulto, será procesado en un juzgado de menores, y las penas impuestas serán distintas: generalmente implicarán restricciones respecto al lugar donde vive y en su forma de comportarse, se le obligará a ir al colegio y habrá una supervisión y un asesoramiento regulares.

• *Entre 14 y 17 años*

Aunque siguen siendo considerados menores, se espera que un muchacho de este grupo de edad se haga responsable de cualquier delito que cometa. Ya no supone una defensa demostrar que no sabía que estaba yendo en contra de la ley. Si es procesado, lo será en un juzgado de menores, y podrá ser sentenciado a la reclusión en un reformatorio si se cree que la gravedad del delito merece una pena de prisión.

Las penas

Incluso cuando claramente se ha cometido un delito, la policía es muy discreta a la hora de decidir si se debería llevar a cabo o no un procesamiento. Si un joven admite su culpabilidad, pueden decidir amonestarle en lugar de iniciar los trámites de un procesamiento. Esto no implica darle un simple sermón, que es lo que un agente que esté investigando un incidente relacionado con las drogas puede decidir hacer, tanto si el muchacho admite su culpabilidad como si no.

Aunque una amonestación a un joven no será motivo de una ficha policial, será anotada y puede ser recuperada si el chico es llevado ante un tribunal juvenil o penal en el futuro. No hay un límite respecto al tiempo que se puede conservar una amonestación en los registros policiales.

Por tanto, lo que realmente sucede si la escuela o la policía pillan a un joven con drogas, dependerá de la clasificación de la droga en cuestión, la cantidad que lleven consigo, las circunstancias del caso y la edad del niño o el joven implicado. Frecuentemente, las escuelas se mostrarán reacias a llamar a la policía y se pondrán en contacto primero con los padres. En los casos en que esté implicada la policía, el joven tenga menos de 17 años y no tenga un historial de consumo de drogas ni de una conducta antisocial en general, la solución al problema será una severa charla o una amonestación. Sólo en los casos en que las cantidades de droga sean demasiado grandes para el consumo personal o en que la droga hallada tenga una naturaleza especialmente peligrosa es probable que se lleve a cabo un procesamiento.

Aunque puede que la policía no tenga interés en incoar un proceso, pueden estar muy interesados en saber de quién se obtuvieron las drogas. La principal preocupación de la policía es la de cortar las líneas de suministro y no la de cebarse con los consumidores.

¿Seré procesado si la policía encuentra drogas en mi casa?

Es ilegal permitir la producción o el tráfico de drogas en una vivienda, o permitir el consumo de cannabis u opio. Si usted es propietario de una casa pero no la ocupa (por ejemplo, si alquila una casa a unos estudiantes) no es legalmente responsable de los delitos relacionados con las drogas que se cometan en la vivienda.

Si la policía encuentra drogas que no sean cannabis ni opio en la habitación de su hijo, por ejemplo, usted no habrá cometido un delito, incluso aunque sepa que las estaba consumiendo en su casa y se lo permitiera. Si ha estado fumando cannabis u opio en su hogar, es extremadamente improbable que la policía decida emprender acciones contra usted, que, técnicamente, habrá cometido un delito, según la Ley sobre el Abuso de Drogas.

En el caso de que las personas compartan la vivienda (tres estudiantes que compartan un piso, por ejemplo), si uno consume cannabis en la casa sabiéndolo los otros, éstos pueden ser acusados de permitir que la vivienda fuera utilizada para consumir cannabis.

¿Qué puede hacer la ley para proteger a mi hijo?

Como se puede apreciar en este breve esbozo de la Ley sobre el Abuso de Drogas, el principal fin de la justicia y la principal preocupación de la policía es la de evitar que entren drogas en el país o que sean fabricadas o distribuidas en él. Se mostrarán muy complacidos de atrapar a cualquiera que suministre drogas a los jóvenes, incluyendo los tenderos y los taberneros que vendan disolventes, alcohol o tabaco a clientes menores de edad, y agradecerán su ayuda y la de su hijo para procesar a este tipo de personas. Es muy improbable que su hijo y sus amigos acaben teniendo una ficha de antecedentes policiales como resultado de que usted informe de incidentes relacionados con ellos a la policía, o porque ellos les den información, a no ser que se hayan visto implicados en drogas peligrosas o estén traficando, ya que no es a ellos a quien persigue la policía.

La policía también tiene un papel que cumplir en cuanto a la educación con respecto a las drogas. Cada agente de relaciones con las escuelas es distinto en cuanto a la cobertura del consumo de drogas que ofrecen en sus charlas con los niños en las escuelas, pero la mayoría dará, como mínimo, un esbozo de la ley explicando, por ejemplo, la diferencia entre posesión y tráfico de drogas controladas.

¿Cuáles son los derechos de mi hijo si se sospecha de él o se le acusa de un delito de drogas?

La policía puede parar y preguntar a cualquiera que quiera y siempre que quiera. Si, como resultado de sus preguntas, tienen una «sospecha razonable» de que puede existir un delito, pueden llevar a cabo una investigación, con o sin el consentimiento de la persona a la que digan que va a ser investigada. Sin una «sospecha razonable» sólo podrán investigar a la persona si ésta da su consentimiento. Las bases para una «sospecha razonable» incluyen un comportamiento anormal, la información recibida y el momento o lugar de la actividad, pero no la forma en que viste el sospechoso, su raza o color de piel, o cualquier conocimiento que pueda tener la policía de condenas anteriores por temas relacionados con las drogas.

De acuerdo con las normas que regulan las investigaciones, una investigación consentida puede ser más completa que una que no lo es. Si la investigación va a consistir en algo más que en una inspección superficial de la vestimenta externa, debe ser llevada a cabo por un agente de policía del mismo sexo que el sospechoso. En los casos en los que se sospeche de un delito relacionado con las drogas, la policía puede llevar al sospechoso a una comisaría para una inspección completa o íntima sin tener que realizar un arresto formal.

Las inspecciones íntimas, que implican el examen de los orificios corporales, sólo pueden ser llevadas a cabo por un médico o una enfermera en un hospital o una clínica, y sólo cuando lo autorice por escrito un superintendente de la policía, y si existe la sospecha de que se oculta una droga de la categoría A con intenciones delictivas. Las muestras de tejidos corporales (sangre, semen, otros tejidos, y los tampones de orificios corporales) sólo pueden ser tomadas con el consentimiento, debe hacerlo un médico, y debe haber una autorización por escrito de un superintendente de la policía. Las raspaduras de uñas, el cabello y las huellas de los pies sólo pueden tomarse con un consentimiento escrito, si lo autoriza un superintendente de la policía, y en el caso de que exista una buena base para sospechar una implicación en un delito grave que pueda ser motivo de arresto.

¿Qué implica una ficha de antecedentes delictivos?

El tiempo durante el cual una condena permanece en una ficha de antecedentes delictivos viene regido por la Ley de Rehabilitación de Delincuentes de 1974. El periodo que debe pasar hasta que una condena se considere «pasada» o prescrita y, así pues, eliminada de la ficha, se reduce a la mitad para personas menores de 18 años, pero aun así puede sumar muchos años. Hay tres áreas principales en las que una ficha de antecedentes delictivos puede suponer una verdadera desventaja:

- Encuentros futuros con la justicia, ya que una ficha de antecedentes delictivos puede influir en el resultado en un juicio.
- Viajar al extranjero: puede ser muy difícil entrar en algunos países tras haber cumplido una condena por asuntos relacionados con las drogas.
- Obtener un empleo: un empresario puede mostrarse muy reacio a dar trabajo a alguien que tenga una ficha de antecedentes delictivos. Algunos trabajos están exentos, según la Ley de Rehabilitación de Delincuentes, y para aquellos que soliciten uno de estos empleos, algunas penas nunca se consideran pasadas, así que un posible empresario siempre podrá averiguar las condenas de un aspirante a un puesto, sin importar cuánto hace que se cumplieron.

Tras ver estos aspectos, vale la pena tener en cuenta la carga que podría suponer una ficha de antecedentes policiales durante los próximos años, antes de que decida usted implicar a la policía en los problemas de drogas de su hijo.

10

Las drogas en mayor detalle

Este capítulo está dedicado a los hechos, puros y duros, de las drogas y otras sustancias comúnmente consumidas. He incluido el alcohol y el tabaco en la lista, ya que son dos de las drogas más consumidas y peligrosas en nuestra sociedad, aunque no sean ilegales. La forma en que nosotros, los padres, que hemos crecido con ellas como parte aceptada de nuestra cultura, tendamos a percibir sus riesgos, puede proporcionarnos conocimientos sobre el modo en que la generación de nuestros hijos entiende los riesgos de «sus» drogas. Puede que pensemos que «están bien siempre que se usen con la cabeza», «los únicos que se vuelven alcohólicos son aquellos que ya tienen problemas», o «éste o aquél ha fumado toda su vida y nunca se ha puesto enfermo», pero estas racionalizaciones pueden ser aplicadas, de igual forma, por nuestros hijos a otras drogas. Vale la pena revisarlas con una mentalidad abierta antes de intentar dar estas justificaciones a nuestros hijos sobre nuestros hábitos y las rechacemos cuando ellos nos las den respecto a los suyos.

Para cada droga de esta sección he aportado información sobre cómo es consumida y los efectos que pueden tener a dosis variables. Aunque la lectura de estos datos no es agradable, ayudarán a los niños a tomar decisiones realistas sobre su consumo y ayudarán a los padres a identificar los posibles problemas relacionados con ellas.

Sedantes (tranquilizantes)

Benzodiacepinas

• *Estatus legal*
Sólo con receta, droga controlada.

• *¿Qué son?*
Las benzodiacepinas son lo que se conoce, en la profesión médica, como «tranquilizantes menores», y son frecuentemente recetados para aliviar la ansiedad o ayudar al paciente a dormir. La mayoría se comercializan en forma de píldoras

o cápsulas que contienen un polvo, con la excepción del Temazepam, que viene en forma de una cápsula que contiene un gel. Todas las benzodiacepinas están clasificadas como fármacos o drogas que sólo se pueden administrar con receta, y es ilegal venderlas o suministrarlas a no ser que sea de este modo, aunque no es ilegal poseerlas sin receta, a no ser que hayan sido producidas de forma ilícita.

• ¿Cómo son consumidas?

Las benzodiacepinas suelen tomarse por vía oral, con la excepción del Temazepam (un gel) ya que, a veces, los consumidores ilegales se lo inyectan, aunque no está fabricado para ser consumido de este modo. Como es posible inyectárselo, el Temazepam se ha vuelto popular entre los consumidores de drogas como sustitutivo de los opiáceos, como la heroína, o como ayuda para aquellos que están «teniendo un bajón» después de tomar estimulantes como el éxtasis o las anfetaminas.

• Efectos y síntomas

Las benzodiacepinas son drogas o fármacos tranquilizantes. A dosis normales pueden aliviar la ansiedad sin afectar en gran medida el estado de alerta ni la capacidad de realizar las tareas diarias del consumidor, como conducir. No obstante, no producen los efectos positivos de placer y euforia asociados con el consumo de otras drogas. En personas no ansiosas, pueden tener un efecto placentero escaso, aunque el Valium puede producir, a veces, una ligera euforia. Para el observador, alguien que haya tomado benzodiacepinas puede parecer adormilado y mostrar una ligera descoordinación.

• Potencial de dependencia

Los consumidores a largo plazo de benzodiacepinas desarrollan tanto tolerancia (un estado que hace que deban tomar dosis cada vez más altas de ella para conseguir el mismo efecto) como dependencia. Esta dependencia es probablemente más psicológica que física, lo que da lugar a sentimientos de ansiedad y pánico si no disponen de la droga. Los consumidores que han estado tomando dosis altas durante un periodo de tiempo prolongado pueden experimentar síntomas físicos de abstinencia, como temblores, náuseas y vómitos, que se inician varios días después de dejar la droga y que pueden continuar durante dos o tres semanas, o más tiempo.

• *Peligros*

Es posible que se produzca una sobredosis fatal, especialmente si se ha tomado alcohol al mismo tiempo. La inyección del gel Temazepam, que no está pensado para ser administrado por esta vía, es una práctica peligrosa y puede dar lugar a problemas circulatorios graves, aparte de los riesgos inherentes de la inyección de cualquier droga. Si la coordinación se ve afectada, las tareas como conducir o utilizar maquinaria peligrosa implican, obviamente, riesgos.

Barbitúricos

• *Estatus legal*

Sólo con receta. Droga controlada de la categoría B.

• *¿Qué son?*

Como las benzodiacepinas, los barbitúricos han sido usados con fines médicos para el tratamiento de la ansiedad y para ayudar a dormir al paciente. Como el riesgo de que se produzca una sobredosis fatal es alto, han sido sustituidos en gran medida en el tratamiento de todos los casos, excepto los más graves, por las benzodiacepinas, que son más seguras; así que en la actualidad tienen pocas utilidades médicas y, por tanto, no están fácilmente disponibles para aquellos que las consumen de forma ilícita.

Los barbitúricos se administran en forma de pastillas, cápsulas, soluciones, supositorios y ampollas, siendo las cápsulas coloreadas la forma más común de esta droga o fármaco.

• *¿Cómo son consumidos?*

Los consumidores de barbitúricos suelen tomar esta droga por vía oral, pero también pueden inyectarse pastillas molidas o el polvo que contienen las cápsulas disuelto en agua.

• *Efectos y síntomas*

Los barbitúricos producen unos efectos similares a los del alcohol. A bajas dosis, quizá una o dos píldoras, pueden hacer que el consumidor se sienta relajado y sociable. A dosis más altas suelen predominar los efectos de sedación, y el consumidor parece dopado, torpe y con una mala coordinación, y su habla es poco correcta. También pueden volverse emotivos y confusos y, finalmente, quedar dormidos.

• *Potencial de dependencia*

La tolerancia física se desarrolla rápidamente con el consumo repetido de los barbitúricos, así que el consumidor habitual deberá tomar dosis cada vez más altas para conseguir el mismo efecto. Por desgracia, la dosis potencialmente fatal no incrementa mucho al aumentar la tolerancia, así que el consumidor habitual puede necesitar una dosis potencialmente mortal para conseguir el efecto que necesita. La dependencia psicológica es posible, y el consumo regular de dosis altas puede provocar dependencia física y unos síntomas de abstinencia graves si se deja de consumir la droga. Entre ellos se pueden incluir los ataques espasmódicos, la irritabilidad, la incapacidad de dormir, las náuseas y, ocasionalmente, las convulsiones. La retirada repentina de su consumo regular a dosis muy altas puede resultar fatal.

• *Peligros*

Los barbitúricos son extremadamente peligrosos (de aquí su poca popularidad como droga. La dosis a la cual pueden provocar la muerte por fallo respiratorio es muy baja: de hecho, a una dosis de unas diez tabletas, la dosis letal es muy ligeramente superior a la dosis medicinal normal) y se vuelven potencialmente letales incluso a dosis todavía más bajas si se ha tomado alcohol u otros sedantes.

La inyección de barbitúricos tiene muchos riesgos, y existe un mayor peligro de sobredosis y de gangrena y abscesos que en el caso de otras drogas comúnmente inyectadas. Los efectos sedantes y la falta de coordinación provocados por la droga también pueden ser peligrosos, y hay más posibilidades de sufrir lesiones accidentales e hipotermia, provocada por el efecto de la droga sobre la forma en que el cuerpo responde al frío.

Alcohol

• *Estatus legal*

Las leyes de otorgamiento de licencias controlan la fabricación, venta, adquisición y distribución de las bebidas alcohólicas. Es un delito dar alcohol a un niño de menos de cinco años, a no ser que sea con fines médicos. Los niños menores de 14 años no pueden entrar a la zona de los recintos con licencia en la que se compra y consume alcohol; de los 14 a los 18 años pueden entrar en ella, pero no pueden comprar ni beber alcohol. Los muchachos de 16 o más años pueden comprar cerveza, sidra o sidra de pera para tomarla con una comida (no servida en el bar).

Es un delito contra la Ley de Orden Público de 1986 llevar o poseer alcohol en los trenes, autocares o minibuses que hagan el trayecto hacia o desde lugares donde se celebra un evento deportivo. También supone delito estar borracho en un lugar público, estar bebido y alborotar, o conducir cuando se supera el límite legal. La cerveza, el vino y la sidra pueden producirse en casa sin licencia, pero no pueden ser vendidos.

• ¿Qué es?

El compuesto activo de las bebidas alcohólicas es el alcohol etílico o etanol, que es producido por la acción de levaduras sobre los cereales, frutas y verduras (fermentación). La cerveza y el vino han sido conocidos en todo el mundo a lo largo de la historia, y ha habido varios intentos, muchas veces poco fructíferos, a lo largo de los siglos, para limitar el consumo y el abuso del alcohol por parte de varios grupos, generalmente la clase obrera y los jóvenes.

El metanol, que se produce a partir de la madera y es bastante más barato que el etanol, también puede ser consumido por los alcohólicos en forma metilada (alcohol de farmacia).

• ¿Cómo se consume?

El alcohol se toma, invariablemente, por vía oral en forma de bebida.

• Efectos y síntomas

A dosis moderadas (medio litro o un litro de cerveza o unos vasos de vino o copas de licor para la mayoría de las personas) el consumidor se siente relajado y sociable. Las funciones mentales y físicas se reducen progresivamente según la cantidad de alcohol ingerida, y a dosis mayores el consumidor acaba mostrando descoordinación, un habla poco clara y puede volverse emotivo y/o agresivo. Si continúa bebiendo, existirá visión doble, pérdida del equilibrio y, finalmente, pérdida de la consciencia.

• *Potencial de dependencia*

La tolerancia al alcohol se va desarrollando con su consumo repetido, y el consumidor deberá beber más y más para que tenga el mismo efecto. La dependencia física y psicológica son peligros muy reales, y el bebedor regular de grandes cantidades experimentará síntomas de abstinencia: sudores, ansiedad, temblores y delirios si su consumo de alcohol se ve cortado repentinamente. La abstinencia puede dar como resultado convulsiones, el coma y la muerte.

• *Peligros*

El beber grandes cantidades de alcohol regularmente puede provocar daños en el estómago, el hígado y el cerebro. Debido a su alto contenido calórico, la bebida puede llevar a la obesidad y a deficiencias dietéticas (en los casos en los que una parte importante del contenido calórico de la dieta sea sustituido por el alcohol). La pérdida de autocontrol asociada con el consumo de alcohol puede dar lugar a violencia y a problemas familiares. El alcohol potenciará los efectos de otras drogas sedantes, como los barbitúricos, los tranquilizantes y los disolventes, haciendo que resulte más probable la intoxicación y la sobredosis. Como el beber es una parte aceptada en la vida de muchas personas, es la droga que tiene más posibilidades de ser utilizada conjuntamente con otras.

Disolventes

• *Estatus legal*

Es un delito que un vendedor proporcione a una persona menor de 18 años una sustancia si sabe, o tiene razones para pensar, que la sustancia o sus vapores pueden ser inhalados con el fin de provocar una intoxicación. En Escocia es un delito común contra la ley vender «descuidadamente» y a sabiendas disolventes a niños con el fin de su inhalación.

Cualquiera que conduzca bajo los efectos de los disolventes puede ser sancionado por el delito de estar a cargo de un vehículo mientras no está en condiciones para ello debido a la bebida o las drogas.

• *¿Qué son?*

Las sustancias implicadas en el abuso de los disolventes son compuestos orgánicos basados en el carbono que producen vapores o que son gaseosos a temperatura ambiente (los productos que suelen contener tales compuestos se relacionan en la tabla de la página 117).

• ¿Cómo son consumidos?

Las colas o pegamentos (los disolventes de los que se abusa con más frecuencia) son colocados en una bolsa de plástico y se inhalan sus vapores a través de la boca y la nariz. Otras sustancias, como los diluyentes y los líquidos para la limpieza pueden ser inhalados de un trapo o de parte de la vestimenta del consumidor (frecuentemente una manga). Los aerosoles pueden ser inhalados en bolsas, pero frecuentemente se pulverizan directamente en la boca. A veces, el consumidor puede meter la cabeza en una bolsa de plástico grande que contenga disolventes: esto es una práctica peligrosa (véase el apartado de Peligros más adelante).

• Efectos y síntomas

El efecto de la inhalación de disolventes es muy parecido a una borrachera de alcohol, pero como las sustancias entran en el torrente sanguíneo a través de los pulmones en lugar de a través del estómago, producen efectos más rápidamente que el alcohol, y también sus efectos pasan antes. Si la persona que inhala quiere permanecer «colocada» necesitará seguir inhalando y se pondrá rápidamente sobria una vez deje de hacerlo.

Además del efecto general de embriaguez, algunos consumidores experimentarán alucinaciones. Si el ambiente en el que se encuentran mientras están inhalando no es bueno o están de mal humor, estas alucinaciones pueden ser amedrentadoras y desagradables. Ver cosas que no están ahí, o ver versiones distorsionadas de lo que sí está ahí, puede provocar que el consumidor haga cosas raras y posiblemente peligrosas, y el propio miedo puede ser peligroso, debido a los efectos de la sustancia sobre el corazón del consumidor (véase el apartado de Peligros más adelante).

• Potencial de dependencia

La dependencia física no se considera un problema en el caso del consumo de disolventes, aunque puede desarrollarse tolerancia si se consumen habitualmente, y este consumidor quizás necesite dosis cada vez mayores para conseguir el mismo efecto. La dependencia psicológica puede aparecer en unos pocos consumidores, generalmente si existen problemas familiares o de personalidad persistentes.

• *Peligros*

La inhalación conlleva, por sí misma, peligros, aparte de los riesgos para la salud que tienen los disolventes utilizados. Muchos consumidores escogen un entorno lleno de riesgos, como edificios abandonados y en ruinas, donde no serán descubiertos. Como muchas de las sustancias usadas son muy inflamables, existe el peligro de que el consumidor o su entorno se prendan fuego, especialmente si él o sus compañeros están fumando. Si se usan bolsas de plástico, existe el peligro de que el consumidor se asfixie si queda inconsciente, o se puede asfixiar tras la aspiración de su propio vómito. Si se aplica un pulverizador de aerosoles o de butano directamente en la boca, pueden provocar la tumefacción de los tejidos de la boca y la garganta, bloqueando las vías respiratorias y provocando el ahogo.

Es difícil determinar los efectos sobre el cuerpo de las sustancias utilizadas. Están implicados varios elementos químicos en combinaciones variables, en formas y con aditivos que nunca fueron ideados para el consumo humano. Se cree que la inhalación puede afectar al corazón, haciendo que sea más sensible al ejercicio o a la excitación, y que ésta puede ser la razón por la que se han dado algunas muertes súbitas entre los consumidores de disolventes. Debido a esto, no es buena idea someter a estrés a los consumidores durante o justo después (probablemente unas pocas horas después) de que hayan inhalado; así que perseguir a un consumidor podría, obviamente, resultar peligroso. Las alucinaciones amedrentadoras que a veces resultan de la inhalación de disolventes también podrían provocar que el cuerpo del consumidor libere adrenalina, que estimula al corazón, y ésta podría ser la causa de la muerte repentina de algunos consumidores.

La intoxicación provocada por la inhalación es similar a una borrachera por alcohol, y el consumidor puede caerse o hacer tonterías o algo peligroso mientras se encuentra bajo la influencia de los disolventes.

A veces, aunque raramente, pueden producirse daños corporales a largo plazo debidos a la inhalación, y entre ellos se incluyen lesiones sobre los pulmones, el corazón, el hígado o el sistema nervioso central. Aunque los consumidores admitidos en los hospitales presentan variedad de síntomas alarmantes, entre los que se registran convulsiones, incapacidad para hablar o para coordinar los movimientos e, incluso, el coma; en la mayoría de los casos estos efectos resultaron ser reversibles, y el afectado se recuperó al cabo de un día, más o menos. No obstante, en unos pocos casos, sustancias muy tóxicas, como el plomo de la gasolina con plomo, han provocado daños cerebrales permanentes u otras consecuencias graves e irreversibles.

Estimulantes

Anfetaminas

• *Estatus legal*

Sólo con receta. Son drogas controladas, a no ser que sea una preparación inyectable.

• *¿Qué son?*

Las anfetaminas son drogas estimulantes sintéticas en forma de polvo o de tabletas blancas o amarillas. Fueron utilizadas para potenciar las capacidades de los soldados durante la Segunda Guerra Mundial y en Vietnam, y fueron muy utilizadas durante las décadas de los 50 y los 60 como supresores del apetito, contra la obesidad y para tratar la depresión. Como resultado del aumento en su uso no medicinal, se las consideró como drogas controladas y perdieron el favor de la comunidad médica. En la actualidad son muy raramente utilizadas con fines médicos.

• *¿Cómo son utilizadas?*

La mayoría de las anfetaminas ilegales disponibles para los jóvenes se encuentran en forma de sulfato de anfetamina, un polvo blanquecino o rosado generalmente compuesto por un porcentaje bajo de anfetamina, adulterado (cortado) con otros estimulantes menos potentes, como la cafeína o la efedrina. El polvo suele ser esnifado, aunque también puede ser inyectado. Con menos frecuencia, el polvo de anfetamina puede disolverse en agua y tomado por vía oral o ser fumado.

• *Efectos y síntomas*

Las anfetaminas son estimulantes que actúan sobre el cuerpo de forma muy parecida a como lo hace la adrenalina, que el organismo produce de forma natural. Tomado en forma de tabletas, por vía oral, y a dosis relativamente bajas, producen un sentimiento de euforia y poder, un aumento de la energía y de la capacidad de concentración, confianza y la capacidad para pasar largos periodos sin dormir ni comer. Los efectos físicos pueden ser un aumento de la presión sanguínea, de la frecuencia respiratoria y cardiaca, midriasis, sequedad de la boca, diarrea y un aumento de la micción.

Dosis mayores producirán unos efectos intensificados. El consumidor puede volverse muy comunicativo y posiblemente, agresivo, y puede mostrar rubor y sudoración. También pueden darse dolores de cabeza, rechinamiento de dientes, mandíbulas apretadas y la sensación de aceleramiento del corazón.

• *Potencial de dependencia*

Las anfetaminas no provocan dependencia física ni síntomas de abstinencia, incluso tras un consumo regular y prolongado, aunque existe un efecto rebote cuando el consumidor deja de tomarlas después de haberlas consumido durante algún tiempo. Sin embargo, la tolerancia aumenta rápidamente con el consumo regular, y serán necesarias dosis cada vez mayores para obtener los mismos efectos. La dependencia psicológica supone un verdadero riesgo, y puede resultar muy difícil para el consumidor dejar de tomar anfetaminas una vez haya experimentado la sensación de energía y de bienestar inducida por la droga, especialmente si la vida le está resultando un tanto dura. La tasa de recaídas entre los consumidores de anfetaminas que dejan de tomarlas es alta.

• *Peligros*

Incluso a bajas dosis, los consumidores pueden padecer la «psicosis de las anfetaminas», un problema en el que aparecen cambios de humor extremos, irritabilidad y ataques en los que se puede mostrar un comportamiento incontrolado y posiblemente violento. El consumo regular puede implicar que este problema pueda tornarse grave y persistente, y puede dar como resultado alucinaciones y sensaciones de olor, gusto y táctiles desagradables. El afectado puede imaginar, por ejemplo, que siente como si tuviera insectos caminándole por encima. Aunque la psicosis va desapareciendo a medida que la droga es metabolizada (generalmente al cabo de unos pocos días), le sigue un efecto rebote, con un cansancio excesivo, depresión y ansiedad, que puede durar días o semanas.

Una sobredosis puede dar como resultado espasmos musculares, pulso acelerado y un aumento de la temperatura corporal. Una sobredosis grave puede dar lugar a convulsiones, coma y, en raras ocasiones, la muerte debida a un fallo cardiaco, al colapso de los vasos sanguíneos del cerebro o a una fiebre extremadamente alta. No obstante, las muertes asociadas con el consumo de anfetaminas son infrecuentes y lo más probable, es que estén asociadas con las complicaciones que aparecen con la inyección: ya sea una sobredosis, el SIDA, la hepatitis o los riesgos propios de inyectarse una droga.

El consumo a largo plazo de anfetaminas puede dar lugar a hipertensión, problemas cardiacos y la posibilidad de sufrir una apoplejía debido a la tensión a la que someten al corazón y al sistema circulatorio. Los daños sobre los pequeños vasos sanguíneos de los ojos pueden provocar problemas visuales. Los consumidores pueden no comer bien debido a las propiedades supresoras del apetito de esta droga, y pueden padecer malnutrición y deficiencias dietéticas. Las mujeres y las chicas pueden dejar de menstruar y quedar temporalmente infértiles.

Aunque la psicosis resultante del consumo de anfetaminas pasa cuando se abandona el consumo, es posible que su uso desencadene una enfermedad mental latente incluso en los consumidores moderados.

Cocaína

• *Estatus legal*
  Droga ilegal.

• *¿Qué es?*
  La cocaína se extrae de las hojas del arbusto de la coca, que crece en los Andes. Su uso como tónico fue muy popular hasta 1920, momento a partir del cual se la consideró ilegal según la primera Ley de Drogas Peligrosas. Suministrada en forma de un polvo blanco cristalino, de hidrocloruro de cocaína, o de pasta

base, que es una forma más pura, o de crack, que consiste en terrones de una cocaína más procesada, es un estimulante con unas propiedades similares a las de las anfetaminas.

• ¿Cómo se consume?

Lo más normal es que la cocaína se esnife por vía nasal a través de un tubo, y desde aquí es absorbida por vía sanguínea a través de la fina mucosa. Más raramente, es inyectada, pero es posible que provoque daños en la piel y que cause úlceras. La pasta base o el crack pueden ser fumados en cigarrillos o con una pipa, mezclados con tabaco o, más comúnmente, con una pipa de agua o narguile. Los consumidores suelen fabricarse sus propias pipas usando latas de refrescos, botellas de plástico o de vidrio, vasos, papel de aluminio y tubos. La droga es calentada usando una cerilla, un mechero Bunsen hecho en casa o un encendedor.

• Efectos y síntomas

Los efectos del consumo de cocaína son muy parecidos a los del uso de las anfetaminas: una sensación de fuerza y energía, excitación y locuacidad, y un descenso en la necesidad de alimento y sueño. Las pupilas pueden estar dilatadas y los ojos ser más sensibles de lo normal a la luz potente. Las dosis altas pueden provocar ansiedad, agresividad e incluso alucinaciones, que suelen pasar una vez que la droga ha sido metabolizada. Si se esnifa el polvo, la droga empieza a provocar efectos rápidamente llegando al pico a los 15-30 minutos. Los efectos también pasan rápidamente, así que puede que el consumidor deba esnifar cada 20 minutos, más o menos, si quiere seguir «colocado». Cuando la droga se fuma, los efectos son prácticamente inmediatos, pero duran incluso menos tiempo.

• Potencial de dependencia

El consumo de cocaína, incluso aunque sea repetido y abusivo, no provoca tolerancia. Después de su uso y después de que hayan pasado sus efectos, el consumidor se sentirá cansado, adormilado y deprimido, aunque estos efectos no son tan notables como los asociados con el consumo de anfetaminas. La dependencia física, con síntomas de abstinencia como los experimentados por los consumidores de opiáceos, no supone un problema para los consumidores de cocaína, pero es posible que el que toma esta droga de forma regular tenga una fuerte dependencia psicológica.

• *Peligros*

El consumo muy frecuente puede provocar sentimientos desagradables de ansiedad, nerviosismo, insomnio, náuseas y pérdida de peso provocada por el descenso del apetito. El consumidor puede acabar física y mentalmente exhausto debido a la falta de sueño. El consumidor de grandes cantidades puede acabar sufriendo un problema similar al de la «psicosis por las anfetaminas», descrito anteriormente. Todos estos síntomas deberían desaparecer si se abandona el consumo de esta droga.

El esnifado continuo puede provocar úlceras y otros daños en la nariz. Aparte del aumento del riesgo de sufrir abscesos y los daños cutáneos asociados con la inyección de cualquier droga, las dosis de cocaína suelen estar adulteradas con sustancias que pueden ser dañinas si se inyectan.

Es posible sufrir una sobredosis, y ésta puede provocar la muerte por un fallo cardiaco o respiratorio, pero esto es bastante inusual.

Tabaco

• *Estatus legal*

Es ilegal vender productos de tabaco a cualquier persona menor de 16 años. No se puede hacer publicidad de tabaco en televisión, y el resto de los tipos de publicidad están restringidos por los acuerdos entre la industria tabaquera y el gobierno.

• *¿Qué es?*

El tabaco se obtiene a partir de las hojas secas de la planta del tabaco. El principio activo del tabaco es la nicotina, un ligero estimulante que se vaporiza cuando el tabaco se quema.

• *¿Cómo se usa?*

Los cigarrillos son la forma más frecuente en la que se encuentra el tabaco en nuestro país, pero también puede obtenerse en forma de puros, elaborados con tabaco más fuerte, tabaco de pipa (que también es más fuerte que el tabaco de los cigarrillos), y rapé, que es tabaco en polvo que puede esnifarse. Cuando el tabaco se quema y se inhala, el humo, que contiene nicotina y otras sustancias, es absorbido, a través de los pulmones y pasa al torrente sanguíneo, alcanzando rápidamente el cerebro.

• *Efectos y síntomas*

Los efectos de la inhalación del humo del tabaco son casi inmediatos, y se van acumulando durante el consumo de cada cigarrillo, descendiendo rápidamente tras acabarlo. La frecuencia cardiaca y la presión sanguínea aumentan, la temperatura de la piel desciende y el apetito se reduce. El fumador se siente alerta y capaz de concentrarse en su tarea, incluso si está cansado o aburrido, aunque alguien que no esté acostumbrado a fumar se puede sentir, simplemente, mareado y mal.

• *Potencial de dependencia*

La tolerancia a los efectos de la nicotina aumenta rápidamente, y es muy posible que se desarrolle una dependencia, y la mayor parte de la gente que empieza a fumar acaba siendo consumidora habitual. Los fumadores habituales que dejan de fumar se sienten inquietos, irritables, deprimidos e incapaces de concentrarse, y las recaídas y la vuelta al consumo son muy frecuentes. Algunos consumidores recurrirán a «fumar en cadena» (encender un nuevo cigarrillo tan pronto como acaben el que estaban fumando), especialmente al desempeñar tareas que requieran concentración. Los usuarios que han tenido experiencia en ambos casos han dicho que es más difícil dejar el tabaco que la heroína.

• *Peligros*

El fumar es un hábito extremadamente dañino. El riesgo de padecer enfermedades cardiacas, trombosis, bronquitis y otros problemas pulmonares, apoplejías, problemas circulatorios, úlceras y cáncer de boca, garganta y pulmón aumentan con el consumo de tabaco. Se estima que el tabaco contribuye a que haya, como mínimo, 100.000 muertes prematuras cada año en el Reino Unido, y que una cuarta parte de los jóvenes varones fumadores morirá prematuramente debido al consumo de tabaco. El fumador no es el único que corre riesgos. Se ha visto que fumar durante el embarazo hace aumentar el riesgo de abortos, un bajo peso al nacimiento y de mortinatalidad; y el «fumar pasivamente» puede incrementar el riesgo de sufrir problemas respiratorios y asma en aquellos que inhalen el humo producido por otros.

Cafeína

• *Estatus legal*

La manufactura, venta, distribución y posesión de cafeína no están sujetos a ninguna restricción legal, pero algunos tónicos que contienen cafeína son fármacos que sólo se pueden vender con receta o que únicamente se pueden encontrar en la farmacia.

• *¿Qué es?*

La cafeína es un estimulante que se encuentra de forma natural en el té y el café, y que es añadido a muchos refrescos, calmantes, tónicos y productos para el dolor de cabeza.

• *¿Cómo se usa?*

La cafeína suele ser tomada, de hecho se hace así en todo el mundo, por vía oral, en forma de bebidas como el té, el café y los refrescos de cola. Los medicamentos que contienen cafeína también se toman por vía oral, normalmente en forma de píldoras.

• *Efectos y síntomas*

Al igual que otros estimulantes, la cafeína, a dosis moderadas, alivia el cansancio y ayuda a concentrarse. Sus efectos se inician al cabo de una hora, y duran entre tres y cuatro horas. A dosis mayores (la cantidad contenida en más de 5 o 6 tazas de café instantáneo o de té, y en menos tazas de café *espresso*) la coordinación se ve afectada, el consumidor puede mostrarse ansioso, y la frecuencia cardiaca y la presión sanguínea pueden aumentar. Puede sentirse ansiedad e inquietud. Cuando los efectos pasan, puede darse un efecto «rebote» de cansancio y aletargamiento. La gente que consume una cantidad diaria de cafeína propia de siete o más tazas de café fuerte, pueden volverse permanentemente irritables y ansiosos, y sufrir dolores de cabeza y «contracciones» musculares. Estos efectos desaparecen una vez abandonan el consumo de cafeína.

• *Potencial de dependencia*

Se desarrolla tolerancia a muchos de los efectos de la cafeína, y los consumidores regulares que tomen una cantidad equivalente a unas seis tazas diarias de café instantáneo sufrirán síntomas de abstinencia, entre los que se incluyen la somnolencia, la irritabilidad y los dolores de cabeza si cesan su consumo bruscamente. Mucha gente se encuentra con que se siente cansada e irritable si no pueden tomar su habitual taza de café o té de la mañana. La dependencia psicológica y física puede desarrollarse hasta el punto en que sea muy difícil dejar el té o el café, incluso aunque existan razones médicas para hacerlo.

• *Peligros*

Existen algunas evidencias de que el consumo de café abusivo y prolongado en el tiempo aumenta el riesgo de sufrir úlceras, enfermedades cardiacas e, incluso, algunos tipos de cáncer, pero no son concluyentes. La gente que ya tiene úlceras, una presión sanguínea alta o que padecen ansiedad, pueden encontrarse con que la cafeína agrava su problema, y la que se toma durante la última parte del día provoca insomnio a muchas personas. Sería posible tomar una sobredosis fatal, pero para esto haría falta consumir la cantidad de cafeína que contienen más de 100 tazas de café.

Cannabis

• *Estatus legal*

Es una droga controlada.

• *¿Qué es?*

El cannabis se elabora de varias formas a partir de la planta *Cannabis sativa*, que crece en estado salvaje en muchos países cálidos y secos, pero que puede cultivarse y ha sido cultivada en Europa. Se puede encontrar fácilmente, es relativamente barato y es, probablemente, la droga ilegal más consumida. Puede encontrarse en forma de hojas secas, que son de un color más verde que las del tabaco, o suelto o compactado en forma de bloques o bastones, o en forma de una resina marrón comprimida en forma de bloques, tortas o bastones. En Gran Bretaña es raro, pero también puede encontrarse en forma de un extracto aceitoso.

• ¿Cómo se usa?

El cannabis suele mezclarse con tabaco, y con él se enrolla un cigarrillo, pero también puede fumarse en pipa o ser añadido a la comida o la bebida.

• Efectos y síntomas

Los efectos del cannabis a dosis medias son, generalmente, muy leves, y algunas personas pueden no experimentar efecto alguno tras sus primeras experiencias. Los efectos que se dan suelen depender de las circunstancias bajo las que se consume la droga y de las expectativas del consumidor. En un entorno adecuado, quizá con amigos o escuchando música, el consumidor se sentirá relajado y sociable, y disfrutará de una apreciación más profunda de experiencias tales como el sonido, el color y el gusto. También pueden darse algunas sensaciones de ansiedad, especialmente en los consumidores novatos que no saben qué esperar de la experiencia. Al ser fumado, los efectos del cannabis empiezan al cabo de unos pocos minutos y aumentan gradualmente. Si es comido o bebido, el inicio de los síntomas es más lento. Una persona que esté bajo los efectos del cannabis puede parecer ligeramente borracha.

Dosis mayores pueden provocar confusión, falta de memoria y distorsión del sentido que tiene el consumidor del tiempo y la realidad. En ocasiones y, sobre todo en el caso de los consumidores novatos o de aquellos que ya se sienten ansiosos o deprimidos, puede provocarles tensión y confusión. Estos efectos desaparecerán al cabo de unas pocas horas, aunque pueden persistir durante más tiempo si la droga ha sido comida o bebida.

• Potencial de dependencia

No se cree que el cannabis provoque tolerancia física ni psíquica. Los consumidores regulares o abusivos pueden acabar dependiendo de la droga, como si se tratara de una ayuda social, de modo muy parecido a como mucha gente considera una copa o dos como parte casi indispensable del pasar una tarde con los amigos, con lo que puede surgir un cierto grado de dependencia psicológica con el consumo abusivo.

• *Peligros*

Fumar cannabis conlleva un mayor riesgo de padecer enfermedades respiratorias, entre ellas el cáncer de pulmón, que el que conlleva el tabaco. Algunos experimentos han sugerido la posibilidad de padecer lesiones físicas y psicológicas –por ejemplo el daño cerebral permanente, debido al uso prolongado en el tiempo–, pero el tipo de estudios necesarios para verificar esas sospechas deben ser necesariamente amplios en su alcance y a largo plazo, y todavía no se han llevado a cabo. No obstante, pueden darse alteraciones psicológicas temporales debidas al consumo abusivo, y los problemas mentales existentes pueden verse exagerados. La mayoría de los expertos creen que el consumo ocasional de cannabis no resulta más peligroso que el del tabaco o el alcohol (véanse las secciones anteriores sobre el alcohol y el tabaco).

Los consumidores regulares que abusan de esta sustancia, y que están prácticamente siempre intoxicados, pueden mostrarse aletargados y ser incapaces de desarrollar con normalidad sus tareas en la escuela o el trabajo. Este nivel de consumo parece, no obstante, ser raro. Una sobredosis fatal es, virtualmente, imposible. Al igual que sucede con cualquier otro estupefaciente, la coordinación y el tiempo de reacción pueden verse afectados, así que conducir bajo el efecto del cannabis podría ser peligroso.

Éxtasis (MDMA)

• *Estatus legal*

Droga controlada.

• *¿Qué es?*

La metilendioximetanfetamina es una droga estimulante (anfetamina) y alucinógena, aunque a la dosis a la que se suele consumir no suele producir las alucinaciones que, por ejemplo, sí provoca el LSD.

La MDMA se presenta en forma de cápsulas o tabletas. Varias sustancias han sido vendidas supuestamente como éxtasis, y entre ellas se encuentran las anfetaminas, el LSD e incluso tabletas para desparasitar internamente a los perros.

Debido a la popularidad de estas drogas, existe un importante peligro de que las personas que las producen de modo casero pongan drogas de baja calidad o de dudosa pureza en el mercado, lo que podría resultar en efectos impredecibles sobre los consumidores.

• *¿Cómo se usa?*

La MDMA se consume exclusivamente por vía oral. Es, en esencia, una droga social relacionada con la cultura de la fiesta y la juerga, y es muy usada por los jóvenes para permitirles bailar con energía durante largos periodos sin cansarse.

• *Efectos y síntomas*

Los efectos de la MDMA son similares a los de las anfetaminas, con la adición de un aumento de la consciencia, que los consumidores dicen aumenta su disfrute del contacto social, de la música y de los juegos de luz asociados con la cultura del baile. La droga empieza a hacer efecto entre 20 y 60 minutos después de ingerir la cápsula o píldora. Las pupilas se dilatan, las mandíbulas se aprietan y puede haber una breve sensación de náusea, sudores, sequedad de la boca, un aumento de la presión sanguínea y pérdida del apetito. La coordinación puede verse afectada.

Cuando los efectos de la droga desaparecen, el consumidor puede experimentar el mismo tipo de efectos rebote que se asocian con las anfetaminas: cansancio, depresión, y malestares y dolores que pueden durar varios días.

• *Potencial de dependencia*

La MDMA no es adictiva desde el punto de vista físico. No obstante, al consumidor puede resultarle difícil dejarla, aunque puede seguir participando en el medio social en que es consumida, donde otros la seguirán consumiendo.

• *Peligros*

Ha habido un cierto número de muertes asociadas con el consumo de MDMA. Estas muertes estaban aparentemente relacionadas con una reacción extraña a esta droga, que dio como resultado un fallo respiratorio, aunque también se han reportado fallos cardiacos y hemorragias cerebrales. Son más comunes otros problemas menos graves, como ataques, dolores de cabeza y dolores varios e inexplicables. Debido al aumento y la intensificación de la actividad física que suele estar asociada con el consumo de esta droga, los que la toman pueden sufrir los efectos de un golpe de calor, deshidratación y agotamiento.

Los efectos nocivos del consumo de la MDMA no parecen depender de la dosis, y puede resultar que algunos consumidores sean inherentemente más susceptibles a la droga que otros, o que las circunstancias en la que la consumen intensifiquen sus efectos. No parece existir una dosis «segura».

Existen algunas sospechas de que el consumo de MDMA puede estar relacionado con daños hepáticos, y se cree que puede afectar al sistema inmunitario. El aumento de la actividad sexual relacionado con la fiesta y la juerga puede, en ocasiones, suponer un riesgo en cuanto a la infección por el virus de la inmunodeficiencia adquirida (conocido por sus siglas inglesas HIV).

Algunos consumidores han reportado experiencias psicológicas desagradables a dosis mayores, entre ellas alucinaciones, pánico, confusión e insomnio. Estos efectos suelen cesar una vez pasan los efectos de la droga, pero pueden darse síndromes retrospectivos («flashback») días o incluso semanas después del evento, durante los cuales se revive brevemente la experiencia, lo que provoca ansiedad y confusión.

Como la MDMA puede afectar a la coordinación corporal, los consumidores no deberían conducir ni usar maquinaria peligrosa mientras se encuentren bajo sus efectos.

Opiáceos

• *Estatus legal*

La heroína, la morfina, el opio, la metadona, la dipipanona y la petidina son drogas controladas al igual que la codeína y la dihidrocodeína (pero pertenecen a la clase A si están preparadas para ser inyectadas). El dextropoxifeno (Distalgesic, etc.) y la buprenorfina (Temgesic) tambien pertenecen a ese grupo. Las mezclas muy diluidas de codeína, morfina u opio, como las de los medicamentos para la tos o la diarrea, están exentas de la mayoría de las restricciones y pueden comprarse sin receta en la farmacia.

Es un delito consumir opio, poseer los utensilios para fumarlo, frecuentar un lugar utilizado para fumarlo o permitir que un sitio sea usado para preparar o fumar opio.

• *¿Qué son?*

Los opiáceos derivan de la amapola del opio o adormidera, aunque actualmente existen sustitutivos sintéticos. Son utilizados de forma legal en analgésicos, supresores de la tos y medicamentos contra la diarrea. La morfina, por ejemplo, es usada en medicina para aliviar el dolor de los pacientes con cáncer, para los cuales no se considera un problema su potencial adictivo.

• *¿Cómo se usan?*

Los opiáceos pueden tomarse por vía oral, pero su efecto se ve muy potenciado si son absorbidos por el torrente sanguíneo mediante una ruta más directa, ya sea esnifándolos, fumándolos o inyectándolos. La heroína, que es el opiáceo ilegal más comúnmente consumido, suele ser tomada calentando el polvo e inhalando su humo a través de un pequeño tubo. Los consumidores más avezados, no obstante, pueden preferir los efectos más inmediatos que se consiguen inyectando esta droga directamente en una vena.

La morfina se suministra en forma de polvo, tabletas, líquido o ampollas, y se consume por vía oral, mediante inyección, calentándola e inhalando sus vapores o, en ocasiones, se usa como supositorio.

Los opiáceos que se expenden sin receta, como la codeína que contienen los fármacos contra la tos, se suministran en forma de jarabe y se toman por vía oral, pero estos productos son mucho menos efectivos y deben ingerirse grandes cantidades de ellos. Estos preparados contienen una cantidad muy pequeña de opiáceo, y los efectos de sus otros ingredientes, al ser tomados en dosis lo suficientemente altas como para producir los efectos que buscan los consumidores de este tipo de drogas, hacen que sean un mal sustitutivo de las formas más refinadas e ilegales (véase el apartado de medicamentos sin receta más adelante).

• *Efectos y síntomas*

Los opiáceos tienen un efecto tranquilizante y calmante sobre el consumidor. Le escudan de forma efectiva de los efectos de la ansiedad, el miedo y las incomodidades, y reducen las ganas de comer, de sexo, etc., dándole la sensación de estar «arropado entre algodoncillos». Suprimen el reflejo de la tos y ralentizan el ritmo respiratorio y el cardiaco, dilatan los vasos sanguíneos y provocan sudor y miosis (contracción de las pupilas).

La inyección en una vena provoca una reacción casi instantánea e intensa, mientras que la inyección subcutánea actúa de forma más lenta y es menos intensa, al igual que sucede con el esnifado. El fumar heroína produce un efecto rápido, aunque es menos intenso que si fuera inyectada.

• *Potencial de dependencia*

Los opiáceos son muy adictivos. La tolerancia física y la psicológica se desarrollan muy rápidamente con el consumo repetido, con lo que el consumidor deberá tomar dosis cada vez mayores y adoptar rutas de administración más directas para conseguir el mismo efecto. El consumidor que ya tiene asentado un hábito a los opiáceos experimentará síntomas de abstinencia desagradables si deja estas drogas, entre ellos sudores, ansiedad, calambres musculares, fibre y diarrea; y la reacción puede ser lo suficientemente grave como para resultar fatal en un consumidor regular y que tome grandes dosis. Tras un tiempo, el consumidor abusivo dejará de experimentar los efectos agradables de la droga, pero necesitará tomarla regularmente para evitar los síntomas desagradables de la abstinencia y sentirse «normal».

• *Peligros*

Los opiáceos provocan pocos daños corporales a dosis moderadas, incluso con su consumo a largo plazo, aunque es posible que se dé una sobredosis fatal, especialmente si un consumidor regular ha dejado de tomarlos durante un tiempo, perdiendo así parte de la tolerancia física, y toma una dosis como las que tomaba antes de dejarlo. Las drogas ilegales contienen cantidades desconocidas de principio activo, y no es infrecuente que la heroína que se encuentra en la calle esté adulterada con sustancias que pueden provocar reacciones fatales si son inyectadas, o puede resultar que sea inusualmente pura, dando lugar a una sobredosis accidental. El tomar otras drogas tranquilizantes al mismo tiempo que los opiáceos también puede dar lugar a efectos potenciados y posiblemente peligrosos.

El principal peligro para los consumidores de opiáceos se debe al ritmo de vida que conlleva su consumo regular, y de los riesgos que conlleva inyectarse drogas. La gente que consume opiáceos regularmente puede volverse apática y descuidarse, arriesgándose a sufrir problemas de salud debidos a la mala alimentación, la falta de higiene y las malas condiciones de los lugares en los que viven. La necesidad de asegurarse un suministro diario de droga para evitar el síndrome de abstinencia puede dar lugar a problemas económicos graves, y el consumidor puede recurrir a delinquir, a la prostitución o a otros medios peligrosos para financiar su hábito. El esnifar heroína regularmente puede provocar lesiones en la nariz.

Alucinógenos

LSD (dietilamida del ácido lisérgico)

• *Estatus legal*
Droga controlada perteneciente a la categoría A.

• *¿Qué es?*
El LSD deriva de un hongo (cornezuelo) que crece en el centeno y otras plantas. Originalmente fue desarrollado para su uso en psicoterapia, pero tras el aumento de su consumo con fines no médicos por los hippies y otros grupos, fue incluido en la Ley sobre Abusos de Drogas en la década de 1960 y dejó rápidamente de ser usado con fines médicos.

En su forma pura, el LSD es un polvo blanco, pero como sólo se usa una cantidad muy pequeña para un «viaje», normalmente se suministra en forma de un cuadrado de papel o gelatina impregnados, frecuentemente con personajes de dibujos animados impresos o con dibujos llamativos, o se presenta en forma de tabletas (generalmente muy pequeñas) o de cápsulas. Gran parte de lo que se vende como LSD en la calle puede, de hecho, contener muy poco LSD o nada en absoluto, y su pureza, en el mejor de los casos, es incierta. El consumo de LSD ha aumentado entre los jóvenes de entre 15 y 24 años desde el comienzo de la cultura de la fiesta y la juerga, en la que puede ser consumido junto con las anfetaminas y el éxtasis para potenciar el efecto de los espectáculos musicales y de luces.

• *¿Cómo se usa?*
El LSD se toma exclusivamente por vía oral, sus efectos se notan al cabo de unos 30 minutos, se intensifican durante unas 2-6 horas y descienden des-

pués de unas 12 horas. Dependiendo de la dosis ingerida. Un cuadrado de papel impregnado o una tableta representan una dosis normal, aunque se pueden consumir más.

• *Efectos y síntomas*

Una dosis moderada de LSD dará lugar a una intensificación y distorsión de las experiencias sensoriales, como el color, el sonido y el tacto. El consumidor puede «ver» sonidos y «oír» colores; su entorno puede parecer modificarse y cambiar, y su sentido del tiempo puede estar distorsionado. Generalmente, el consumidor es consciente de que estas distorsiones no son reales.

El consumidor puede tener sensaciones de un aumento de la propia consciencia y de poseer conocimientos místicos, aunque lo que él cree que en ese momento puede ser el descubrimiento de una gran verdad puede acabar siendo una frase sin sentido o una banalidad. Aunque muchos «viajes» son inofensivos o placenteros, algunos pueden resultar amedrentadores y deprimentes, especialmente si el consumidor se sentía ansioso o triste antes de tomar la droga. A veces, un mismo «viaje» puede combinar elementos agradables y aterradores, y en ocasiones, y con dosis más altas, pueden darse alucinaciones completas, y en ellas el consumidor pierde totalmente el contacto con la realidad y cree encontrarse en una situación amenazadora o peligrosa.

• *Potencial de dependencia*

La dependencia física no se da con el consumo de LSD. La tolerancia se desarrolla muy rápidamente, hasta el punto en que la droga carece de efecto tras tomarla durante unos pocos días, y el consumidor debe dejar de hacerlo durante tres o cuatro días antes de tomarla de nuevo. La dependencia psicológica es muy rara.

• *Peligros*

El LSD actúa principalmente sobre la mente, y sus efectos físicos son muy pequeños, incluso con un consumo a largo plazo. No obstante, resultaría muy difícil llevar a cabo cualquier tarea que conlleve concentración mientras se experimenta un «viaje» de LSD, y conducir no sería nada prudente. Los efectos psicológicos desagradables son posibles a cualquier dosis, pero son más frecuentes en los consumidores habituales. Es posible, aunque raro, que un consumidor se lesione a sí mismo o a otros mientras está poseído por una alucinación (ha habido unos pocos incidentes muy sonados de personas que se han lanzado desde un edificio mientras estaban bajo los efectos del LSD creyendo que podían volar, o que han atacado a otros creyendo que eran ellos mismos y que estaban siendo amenazados o atacados). Algunos consumidores han quedado psicológicamente afectados tras un mal «viaje» bastante tiempo después de que el efecto de la droga haya pasado, aunque una vez más, es raro, y algunos pueden experimentar escenas retrospectivas, es decir, volver a experimentar un «viaje» pasado, cosa que sucede inesperadamente, incluso aunque no se haya vuelto a tomar LSD.

Setas alucinógenas (mágicas)

• *Estatus legal*

Las setas que contienen psilocina o psilocibina en estado fresco no están sujetas a restricciones legales, pero su preparación de algún modo (incluso el secarlas o el machacarlas), o el cultivarlas, o la posesión con la intención de traficar con ellas, es ilegal, ya que ambas sustancias son drogas controladas.

• *¿Qué son?*

Existen bastantes variedades de setas alucinógenas que crecen en estado salvaje en Gran Bretaña. Las más comúnmente consumidas son las matamoscas o falsas oronjas (*Amanita muscaria*), que no contienen ni psilocina ni psilocibina, y el Bongui (*Psilocybe semilanceata*), que sí las contiene. Pueden cogerse frescas a principios de otoño y secarse para consumirlas más adelante.

• *¿Cómo se usan?*

Se coge la seta entera y se consume cruda o cocinada, o en infusión, como un té. Las setas secas se toman del mismo modo. Pueden ser necesarias hasta 20 o 30 setas para conseguir una experiencia alucinógena similar a una pequeña dosis de LSD, aunque su potencia es muy variable y depende del modo de preparación.

• *Efectos y síntomas*

Los efectos de estas setas son los mismos que los de una dosis suave de LSD, a lo que se añade la dilatación de las pupilas, un incremento de la frecuencia cardiaca y de la presión sanguínea, y otros síntomas físicos. Los efectos empiezan al cabo de una media hora y llegan al máximo hacia las tres horas, dependiendo de la dosis, y duran entre cuatro y nueve horas. Frecuentemente, el consumidor sufrirá dolor de estómago y vómitos.

• *Potencial de dependencia*
    Como en el caso del LSD.

• *Peligros*
    El mayor peligro es el de consumir una de las setas de las especies salvajes más tóxicas al confundirlas con setas alucinógenas. Aunque la falsa oronja y el Bongui podrían provocar una sobredosis fatal sólo si se consumen en grandes cantidades, algunas especies pueden ser mortales incluso aunque se consuma una pequeña cantidad.
    Al igual que sucede con el LSD, es posible sufrir «viajes» y alteraciones psicológicas, pero el apoyo y la ayuda harán generalmente que el consumidor supere esta experiencia y los efectos rara vez duren más allá del final del «viaje». Pueden darse escenas retrospectivas, pero generalmente van desapareciendo con el tiempo.

Otras drogas

Nitrito de amilo y de butilo

• *Estatus legal*
    El nitrito de amilo está clasificado como medicamento farmacéutico, pero los farmacéuticos rara vez disponen de él. El nitrito de butilo no está clasificado como droga y no hay restricciones respecto a su disponibilidad.

• *¿Qué son?*
    El nitrito de amilo y de butilo (conocidos, en conjunto, como alquilnitritos) son unos líquidos claros, amarillos y volátiles. El nitrito de amilo ha sido usado en el tratamiento de la angina y como antídoto contra el envenenamiento por cia-

nuro. El nitrito de butilo no tiene utilidad médica. Se suministran en forma de pequeñas botellas de vidrio con rosca o tapón o, en ocasiones, en pequeñas cápsulas de vidrio envueltas en algodón.

• ¿Cómo se toman?

Ambas sustancias son inhaladas, ya sea directamente de la botella o de un trapo.

• Efectos y síntomas

Los alquilnitritos dilatan los vasos sanguíneos y relajan la musculatura. Sus propiedades de relajación muscular atrajeron al principio a la comunidad gay, que los utilizó para facilitar las relaciones homosexuales, pero la sensación experimentada a medida que los vasos sanguíneos se dilatan y el ritmo cardiaco se acelera, enviando una gran cantidad de sangre al cerebro, también atrae a muchos consumidores, con lo que la droga está siendo más y más utilizada. Los efectos duran sólo unos pocos minutos, dando lugar a un cierto mareo, rubor en la cara y dolor de cabeza.

• Potencial de dependencia

La tolerancia se desarrolla tras dos o tres semanas de consumo continuado, pero finaliza después de que pasen unos pocos días sin consumirlos. Ni la dependencia psicológica ni la física ni los síntomas de abstinencia parecen suponer un problema.

• Peligros

Se ha publicado que, en ocasiones, el esnifar nitritos ha provocado dermatitis en el labio superior, la nariz y las mejillas, y dolor y tumefacción de las fosas nasales. Estos síntomas desaparecen si se deja de esnifar. El consumo abusivo puede dar como resultado una reducción del oxígeno en sangre, lo que puede provocar vómitos, *shock* e inconsciencia. Este problema puede llevar a la muerte, aunque los casos descritos solían ser los de aquellas personas que habían ingerido la sustancia en lugar de inhalarla. El peligro de sufrir consecuencias graves de este tipo es mayor en las personas con problemas cardiacos o anemia. Como la droga es metabolizada rápidamente, no parecen existir problemas graves a largo plazo debido a la inhalación de nitritos por parte de personas sanas.

Esteroides anabolizantes

• *Estatus legal*

Son fármacos que sólo pueden ser expendidos por un farmacéutico tras la entrega de una receta médica. Como todavía no están controlados por la Ley sobre Abuso de las Drogas, la posesión para el consumo personal no es ilegal, aunque se está pensando en implantar nuevos controles.

• *¿Qué son?*

Los esteroides anabolizantes son un grupo de hormonas que el cuerpo produce de forma natural, y que controlan el desarrollo y el funcionamiento de los órganos reproductores. La testosterona, que es la hormona esteroide masculina más importante y aquella de la cual derivan la mayoría de los esteroides anabolizantes sintéticos que se encuentran en el mercado, es también la responsable del desarrollo de las características masculinas, como la voz grave y el crecimiento del vello corporal. Los esteroides anabolizantes también tienen el efecto de hacer que la musculatura se desarrolle, y es este efecto el que ha conllevado su uso en medicina para tratar la anemia, la trombosis y la atrofia muscular, y su uso ilegal entre los culturistas.

• *¿Cómo se usan?*

Los esteroides anabolizantes se suministran en forma de tabletas o como una solución inyectable, y suelen poder obtenerse a partir de contactos en el gimnasio o el club deportivo. Los culturistas y los atletas suelen usarlos durante el entrenamiento en ciclos de seis a ocho semanas, y a dosis bastante mayores de las recomendables con fines médicos.

• *Efectos y síntomas*

Los esteroides hacen que el consumidor se vuelva más agresivo y le permitan entrenar más duro. Pueden ayudar a incrementar la masa muscular y la fuerza, que es el efecto que suelen buscar los culturistas.

• *Potencial de dependencia*

La dependencia física no parece suponer un problema, aunque sí la psicológica. Algunos consumidores dicen que se sienten deprimidos y aletargados cuando dejan de tomar esta droga, y los atletas que creen que mejora su rendimiento quizás no sean capaces de renunciar a la ventaja que les aporta.

• *Peligros*

El uso a largo plazo se cree que puede provocar lesiones y tumores hepáticos y renales, un aumento de la presión sanguínea, dificultades en el crecimiento de los jóvenes y desórdenes psíquicos temporales. En los hombres, el uso continuado puede dar lugar a esterilidad e impotencia, mientras que las mujeres pueden sufrir irregularidades menstruales y desarrollar características masculinas, como una voz más grave, vello facial y corporal y una reducción del tamaño de los senos. Estos cambios no pueden ser invertidos. Los esteroides tomados durante el embarazo pueden afectar gravemente al feto.

El incremento de la agresividad provocado por los esteroides, que a veces recibe el nombre de «rabia o manía de los esteroides», ha sido hecho responsable de crímenes violentos, especialmente incidentes de violencia doméstica y de abusos a menores y, en algunos casos, ha sido utilizado como defensa ante los tribunales.

En el caso de que los esteroides se inyecten, aparecen los riesgos usuales asociados con la inyección, al igual que los relacionados con la impureza y la incertidumbre de la potencia que conlleva cualquier droga ilícita. Algunos de los esteroides anabolizantes de los que se dispone de forma ilícita fueron ideados para su aplicación en animales y no en personas, mientras que otros son falsificaciones de marcas comerciales legítimas.

Drogas sin receta

Muchas drogas con potencial para que se abuse de ellas pueden conseguirse sin receta médica, ya sea en farmacias y bajo la supervisión de un farmacéutico, o en tiendas sin licencia. Los antihistamínicos pueden ser utilizados por sus propiedades sedantes o ser mezclados con heroína o metadona. Las sustancias tipo anfetamina de los descongestionantes nasales pueden ser usadas como estimulantes, y los calmantes, los jarabes para la tos y los tratamientos contra la diarrea pueden ser tomados en grandes dosis debido a su contenido en opiáceos. Estas prácticas pueden ser muy peligrosas, ya que para obtener el efecto deseado del principio activo del preparado en el que el consumidor está interesado, es necesario que tome grandes dosis de sus otros ingredientes. Algunos de ellos, como el paracetamol combinado frecuentemente con la codeína en los calmantes, puede ser verdaderamente dañino.

Si usted encuentra una droga que no pueda identificar y está preocupado porque su hijo pueda estar abusando de ella, lo mejor que puede hacer es preguntarle qué es, aunque podría intentar identificarla antes de hablar con él (véase el capítulo 5. Para obtener datos rápidamente mire la lista que muestra los nombres comerciales y populares de cada droga, y los síntomas asociados con su consumo en las páginas 117-122. Para obtener más datos sobre la tolerancia, la dependencia y la adicción véase el capítulo 2).

Lista de drogas: sus nombres, efectos y síntomas de su consumo

Sustancia	Nombres comerciales	Nombres populares	Efectos	Síntomas de su consumo
Benzodiacepinas	Valium, Temazepam, Librium, Ativan	Valium, rula, pirula.	Sedación, vocalización confusa, euforia, desorientación, comportamiento como el de un borracho.	Tabletas o cápsulas, que pueden ser machacadas o abiertas para ser inyectadas. Jeringas y agujas, marcas en los puntos de inyección.
Barbitúricos	Tuinal, Seconal, Amytal	Rula, pirula, pilula, pastillas, tutis.	Sedación, vocalización confusa, euforia, desorientación, comportamiento como el de un borracho.	Tabletas o cápsulas, que pueden ser machacadas o abiertas para ser inyectadas. Jeringas y agujas, marcas en los puntos de inyección.
Anfetaminas y drogas similares	Dexedrine, Ritalin, Apisate, Tenuate, Duromine, Ionamin, Volital	Anfetas, speed, éxtasis, dexedrina, Adán, Eva, DOM, XTC, rula, X, pasti, ovni.	Aumento de la presión sanguínea y de la frecuencia cardiaca, pupilas dilatadas, rubor, locuacidad, reducción del apetito, posible agresividad.	Envoltorios de papel plegados de unos 5 × 5 cm al ser desplegados, con un polvo blanco, blanco grisáceo o amarillo; tabletas, agujas y jeringas.

Sustancia	Nombres comerciales	Nombres populares	Efectos	Síntomas de su consumo
Disolventes: Acetato, benceno, tetracloruro de carbono, cloroformo, ciclotexano, éter de etilo, acetona, mexano, nafta, percloroetileno, tricloroetileno, triclorofano, varios alcoholes.	Se encuentran en muchas marcas de aerosoles (como propelentes), el gas para encendedores, los pegamentos o colas basados en los disolventes, los fluidos de limpieza en seco, el gas butano (se encuentra en los encendedores, sus cargas y en muchos aerosoles), los disolventes de pinturas, etc., el petróleo, los tintes, el esmalte y quitaesmalte de uñas, las soluciones gomosas, el líquido corrector (tipo Tipp-Ex) y su diluyente.	No tiene un nombre popular.	Calambres estomacales, movimientos descoordinados y habla confusa, comportamiento como el de un borracho, ojos inflamados.	Sarpullido alrededor de la nariz y la boca, tubos o latas vacíos, bolsas de plástico con trazas de pegamento o cola en su interior, fuerte olor a sustancias químicas, trazas de estas sustancias en la ropa.
Cannabis	No tiene un nombre comercial.	Cannabis, marihuana, grifa, hachís, chocolate, choco, tate, hierba, ganja, mierda, mandanga, cáñamo, maría, mota, hash, gallo, ful, costo, petróleo, goma, henna.	Descoordinación, aspecto ligeramente borracho. A dosis mayores: confusión, pérdida de memoria, y ocasionalmente ansiedad y malestar.	Colillas de cigarrillos liados a mano (porros), papel de fumar, fuerte olor de tipo herbal al quemarse las hojas.

Sustancia	Nombres comerciales	Nombres populares	Efectos	Síntomas de su consumo
Cocaína, pasta base y crack.	No tiene un nombre comercial.	Coca, basuco, bazuco, nieve, anchoa, farlopa, perico, polvo, cristal, la fina, lady pura, loncha, línea, marchosa, tema blanco, papelina, pasta, raya.	Aumento del ritmo cardiaco y de la presión sanguínea, pupilas dilatadas y sensibles a la luz, somnolencia, locuacidad, posiblemente agresividad, ansiedad y alucinaciones a dosis altas; aletargamiento y depresión a medida que desaparecen los efectos de la droga.	Envoltorios de papel plegados (papelinas), espejito y cuchilla, tubito para esnifar, billetes enrollados, agujas y jeringas, pequeñas bolsas de plástico, pipas, terrones o piedras de cocaína.
Éxtasis (MDMA)	No tiene un nombre comercial.	Éxtasis, speed, Adán, Eva, DOM, XTC, rula, X, pasti, ovni. Muchos de los nombres derivan de los dibujos que llevan grabadas las pastillas o por sus colores.	Aumento de la energía, insomnio. Sed, depresión y cansancio a medida que desaparece el efecto de la droga.	Tabletas o cápsulas.
Heroína	No tiene un nombre comercial.	Caballo, jaco, chino, bola, buco, burro, camello, polvo, H.	Adormecimiento, contracción de las pupilas (miosis), sudor, frecuencia cardiaca y respiratoria reducidas, náuseas.	Envoltorios de papel, jeringas y agujas, papel de aluminio ennegrecido, torniquete (cinturón, corbata o cuerda), cucharillas dobladas, cerillas quemadas, tapones de botella, marcas de pinchazos en las manos, brazos, piernas o pies, y manchas de sangre en la ropa o la cama.

Sustancia	Nombres comerciales	Nombres populares	Efectos	Síntomas de su consumo
Otros opiáceos y opioides (opiáceos sintéticos): opio, morfina, metadona, petidina, dipipanona, codeína, etc.	Sevredol, MST Continus, Cyclimorph, Omnopon, Scopolomine, Nepenthe, Temgesic, DF118, Diconal, Physeptone, Palfium y varios supresores comerciales de la tos, calmantes y fármacos antidiarreicos, que contienen cantidades relativamente pequeñas de opiáceos.	Jarabes para la tos.	Los mismos que los de la heroína.	Tabletas, ampollas, jarabes para la tos, supositorios, utensilios para inyectarse.
LSD (dietilamida del ácido lisérgico)	No tiene un nombre comercial.	Ácido, tripi, punto, sello. Muchos de los nombres derivan directamente de los dibujos de los sellos o soportes de papel secante	Pocos efectos físicos, pero se da una consciencia aumentada, distorsión de la percepción sensorial y, a veces, alucinaciones y pánico.	Pequeñas tabletas o cuadraditos de papel.
Setas alucinógenas	No tienen nombre comercial.	Setas mágicas.	Igual que los del LSD, pero frecuentemente se da dolor de estómago, náuseas y vómitos.	Setas frescas o secas, tabletas hechas a partir de las setas que tienen un aspecto y un olor similar a la de las tabletas de levadura.
Nitrito de amilo y de butilo.	Rush, Quick Silver, Liquid Gold, Bolt, etc.	Nitratos, poppers, clímax.	Rubor, aceleración de los latidos, mareo, dolor de cabeza.	Pequeñas botellas de gas con tapones de rosca o tapones normales, cápsulas de gas envueltas en algodón.

Sustancia	Nombres comerciales	Nombres populares	Efectos	Síntomas de su consumo
Esteroides anabolizantes	Demasidos para listarlos todos, pero entre ellos se incluyen Atamestane, Bolazine, Bolmantalate, Durabolin, Dianabol, Metenolona, Mibolerona, Nandrolona, Ovandrotone, Epitiostanol, Fluoximesterona, Oximesterona, Estanozolol, Silandrona, Trilostane.	No tiene un nombre popular.	Mayor agresividad y energía durante el entrenamiento.	Píldoras, cápsulas o botellas de solución inyectable y utensilios para inyectarse.

Índice alfabético